LOS SONETOS
"AL ITALICO MODO"
DEL
MARQUES DE SANTILLANA

BIBLIOTECA UNIVERSITARIA PUVILL

DIRIGEN

Josep Puvill Valero. Puvill-Editor
Josep M. Sola-Sole. The Catholic University of America

EDICIONES ANALITICO - CUANTITATIVAS 1

JOSEP M. SOLA-SOLE
The Catholic University of America

LOS SONETOS
"AL ITALICO MODO"
DEL
MARQUES DE SANTILLANA

(Edición crítica, analítico-cuantitativa)

PUVILL - EDITOR
Barcelona

Puvill-Editor
Boters, 10
Barcelona-2

    DISTRIBUIDOR
    Librería Puvill
    Boters, 10 - Paja, 29
    Jaime I, 5
    Barcelona-2

Publicado con la ayuda de Intercambios Culturales
Hispano-Americanos.

Dep. legal: Z-205-80
I.S.B.N.: 84-85202-20-1
IMPRESO EN ESPAÑA

Talleres gráficos: INO-Reproducciones
                Santa Cruz de Tenerife, 3
                Zaragoza

NOTA LIMINAR

El presente estudio ha sido concebido como un intento de aplicar las nuevas técnicas de ordenación y cómputo a la literatura y, en particular, a la edición de textos. Se abusará en él, por consiguiente, de los números, ya que, en gran parte, se va a intentar convertir el lenguaje literario en un lenguaje fundamentalmente numérico. Nada hay de extrañar en ello, ya que el mundo de los guarismos va tomando, queramos que no, una importancia cada vez más capital en la vida humana y en sus manifestaciones. Como hasta cierto punto en la Edad Media, el lenguaje de los números, con su frío malabarismo y su carisma de orden y precisión, va penetrando de nuevo en las más variadas manifestaciones de la vida humana y lo va haciendo con un ímpetu arrollador, ayudado por una técnica que, a su vez, avanza a grandes pasos.

No cabe duda que a algunos les sonará este intento a pura aberración humanística. Les parecerá una renuncia de los valores del espíritu en las garras de la fría máquina y del número impersonal. Dirán que es un abandono del humanismo y de la creación literaria a la malévola intrusión de las modernas ordenadoras, con su mecánica rígida e implacable. Pero es indiscutible que, bien a pesar nuestro, no podemos ponernos de espaldas a una nueva técnica, cerrar los ojos y encerrarnos a nosotros mismos en una torre de marfil. El mundo, queramos que no, cambia (algunos afirmarán que avanza) y no queda más remedio que cambiar con él.

Es evidente, por otra parte, que a fines ya del siglo XX, con todos los saltos que la vida humana ha dado, no podemos perpetuar técnicas literarias y de edición de textos, que nacieron hace generaciones, cuando imperaba aún la lamparilla de aceite, la papeleta y el rancio fichero, engendrado con paciente labor benedictina y sin otra garantía que la capacidad, preparación y celo individuales. Además, los logros que se conseguían (y no eran pocos), se obtenían más que nada a base de un ingrediente que en la actualidad hay que sacrificar por entero: el tiempo. La vida moderna marcha a otro paso, con un compás y un ritmo mucho mas rápido y avasallador. Lo que antes se hacía pausadamente, sin el agobio constante del tiempo, hay que hacerlo ahora mucho más rápidamente, con lo que no cabe más remedio que echar mano de la nueva tecnología para conseguir y superar en lo posible antiguos resultados. Cuando el investigador intenta ahora con los métodos antiguos llevar a cabo lo que otros ya hicieron, no consigue en la mayoría de los casos sino un resultado mínimo, sin que logre aportar gran cosa de nuevo a lo que ya nuestros antepasados, con mayor voluntad y sobre todo más tiempo, consiguieron.

A la rápida facilidad debemos sumar, además, otro factor sumamente importante: el de la precisión y el mínimo error. No hay duda que los nuevos métodos, con su fría e implacable lógica (en la jerga electrónica: inteligencia), ajena totalmente a cualquier idea preconcebida y a cualquier prejuicio, nos pueden suministrar unos resultados nítidos sobre los cuales es posible construir, cual sólidos cimientos, nuevos edificios. A nadie se le escapará que, con estos nuevos métodos, la crítica literaria puede conseguir cierta precisión de la cual hasta ahora desafortunadamente ha carecido.

No se crea, sin embargo, que la nueva técnica sea la panacea de los futuros estudios literarios y de edición de textos. Las máquinas tienen su lógica; pero el impulso inicial para poder aplicarla sólo del hombre viene y de lo que el hombre meta en sus fauces devoradoras. El poder devorador de ellas es, por otra parte, tan descomunal que sólo digieren con relativa eficacia a base de enormes sumas de material que constantemente hay que suministrarles. Para conseguir buenos resultados hay que procurarles la máxima información posible. Sólo es entonces cuando trabajan con mayor eficacia y nos procuran múltiples resultados que (y ahí está hasta cierto punto nuestra gran tragedia) todavía estamos incapacitados para poder absorber y evaluar.

No pretendemos, pues, con este estudio sino adentrarnos en este mundo de la máquina y de los números aplicados a la literatura. Convertiremos en gran parte el lenguaje literario en un lenguaje numérico. Los sonetos del Marqués de Santillana van a ser convertidos hasta cierto punto en números y estos números a su vez van a ser comparados con los números que nos suministrarán los sonetos de otros poetas de los siglos XVI y XVII. Los resultados que consigamos podrán ser aplicados a otros autores y a otros sonetos, ya que, con el presente estudio, creemos haber llevado a cabo la "anatomía del soneto castellano," aunque nos hayamos concentrado más bien, por razones de tiempo y espacio, al soneto amoroso y, en particular, a los sonetos del primero que intentó cultivarlos en nuestra lengua: Don Íñigo López de Mendoza, Marqués de Santillana.

SIMBOLOS Y ABREVIACIONES

Se observarán en este estudio los sigüientes símbolos y abreviaciones:

```
[n      =  datos en los 42 sonetos del Marqués
x]y     =  y es variante del texto establecido x
[x]     =  letra o letras restauradas en el texto
/n      =  datos en los 200 sonetos en base comparativa
n.n     =  número entero seguido de un decimal
n:n     =  proporción entre dos datos
n; n    =  número de veces seguido de porcentaje

AH      =  Ms. 2-7-2,2, Academia de la Historia, Madrid
I       =  Cancionero de Ixar
M       =  Ms. 3677, Biblioteca Nacional, Madrid
PA      =  Ms. 226, Bibliothèque Nationale, París
PE      =  Ms. 230, Idem
PH      =  Ms. 313, Idem
R       =  Ms. ant. II,617, Bibl. Palacio Real, Madrid

a.      =  adjetivo
ad.     =  adverbio
ar.     =  artículo
c.      =  conjunción
p.      =  pronombre
pr.     =  preposición
s.      =  sustantivo
v.      =  verbo
```

*

I

METODOLOGIA Y ANALISIS CUANTITATIVO

*

1. INTRODUCCION

1.1 Dentro de la considerable obra poética del Marqués, los 42 sonetos "fechos al itálico modo" tal vez representen lo más interesante y, al mismo tiempo, controvertible que escribiera. Interesante por ser, como es sabido, el primer intento de adaptar el soneto italiano a la poesía española [1]; controvertido por representar un considerable esfuerzo que, por razones que se nos escapan, no llegó a cuajar.

1.2 A lo largo de los años, estos 42 sonetos del Marqués han merecido la atención de la crítica, habiendo sido editados ya en 1852 por J. Amador de los Ríos [2] y, en nuestra época, por A. Vegué y Goldoni (1911) [3]. Conviene recordar igualmente las ediciones integrales, aunque no críticas, de R. Foulché-Delbosc (1912) y, más recientemente, de M. Pérez y Curis (1916) y de M. Durán (1975). Otros autores han llevado a cabo ediciones parciales de los sonetos, cabiendo destacar, en particular, la de J. M. Azáceta (1956) para los 17 sonetos contenidos en el Cancionero de Juan Fernández de Ixar.

1.3 Los sonetos del Marqués se han conservado en varios manuscritos que en gran parte ya han sido utilizados en las distintas ediciones críticas de Amador de los Ríos y de Vegué y Goldoni y, para los 17 sonetos iniciales, por Azáceta (véase 1.2). Los códices más importantes, por ser más completos, son el M 59 (moderno: 3677) [=M] y el VII-Y-4 (moderno: II,617) [=R], el primero en la Biblioteca Nacional de Madrid y el segundo hasta hace poco en la Biblioteca del Palacio Real y ahora en la Universitaria de Salamanca [4]. Aparte de estos dos códices, en el Cancionero de Ixar [=I] se hallan, como hemos indicado (véase 1.2), 17 de los 42 sonetos, con la particularidad de que, además, van provistos de epígrafes aclaratorios en prosa que son considerados como propios del Marqués. Recientemente Azáceta, en su edición del Cancionero de Ixar ha recogido igualmente las variantes de los códices 226 [=PA], 230 [=PE] [5] y 313 [=PH] de la Bibliothèque Nationale de París [6], así como del manuscrito 2-7-2, Ms. 2 [=AH] de la Academia de la Historia [7].

1.4 Desconocemos el orden en que el Marqués escribió sus 42 sonetos. La secuencia en que aparecen en los varios códices es idéntica para los 17 primeros, aunque distinta para los restantes y, según se haya seguido el códice M 59 [=M] o el antiguo VII-Y-4 [=R], ha variado el orden de presentación de los 25 restantes en las distintas ediciones. En el presente estudio tendremos en cuenta una clasificación y disposición temática, dado que los sonetos del Marqués pueden clasificarse en: [8]

       1) amorosos (22),
       2) religiosos (8),
       3) políticos (4),

4) panegíricos (3),
5) didácticos (3), y
6) fúnebres (2).

Dentro de cada grupo seguimos fundamentalmente el orden de la edición de Amador de los Ríos, quien, a su vez, prefiere la secuencia del códice M 59 [=M], único que contiene todos los 42 sonetos.

1.5 En cuanto a la fecha de composición de estos sonetos, sólo uno de ellos es datable con toda seguridad. Se trata del soneto XXXII, escrito, según el epígrafe que le acompaña, en 1455, con motivo de una visita que el poeta hizo a Sevilla. Ahora bien, referente a este punto vale la pena copiar aquí integralmente lo que señala R. Lapesa: [9]

> Los sonetos de Santillana constituyen una serie de ensayos repetidos a lo largo de veinte años, los últimos que vivió su autor. En mayo de 1444, cuando el señor de la Vega envió la Comedieta y los Proverbios a doña Violante de Prades, le mandó también "algunos... sonetos que agora nuevamente he començado de façer al itálico modo." Pero ese "agora nuevamente" ha de interprestarse en sentido lato, pues en realidad los sonetos más antiguos de don Iñigo databan de varios años atrás: el II, "Lloró la hermana, magüer que enemiga," había sido compuesto al morir en Italia el infante don Pedro (1438), y el V, "No solamente al templo divino," cuando falleció la infanta doña Catalina (1439), la princesa tiernamente compadecida en la Comedieta. Más reciente era el soneto XIII, "Calla la pluma e luze la espada," dedicado a Alfonso V, sin duda con motivo de su triunfal entrada en Nápoles (1443). El grupo de sonetos enviado a doña Violante debió de estar formado por los diecisiete primeros, únicos que figuran en varios códices y únicos que llevan epígrafes aclaratorios extensos. El XVIII tiene significativas coincidencias con los últimos párrafos de la Qüestión que nuestro autor dirigió en enero de 1444, consternado ante la inminente guerra civil, a don Alonso de Cartagena. La producción continuaba diez y once años después: un soneto valía al Marqués para afianzar el vacilante ánimo de Juan II en sus decisiones contra don Alvaro de Luna ("Venció Aníbal al conflicto de Canas," XXX, 1453); en otro, instado por el viejo Fernán Pérez de Guzmán, pedía a los príncipes cristianos que acudiesen a reparar la caída de Bisancio, recién conquistada por los turcos ("Forçó la fortaleza de Golías," XXXI, 1453-54); poco después, también valiéndose de sonetos, daba consejos de gobierno al nuevo rey Enrique IV (XXXIII, 1454-55), y encomiaba las grandezas de Sevilla con ocasión de una visita que hizo a la ciudad (1455, XXXII)."

1.6 Desde luego, gran parte de los sonetos del Marqués y, en particular, los de contenido amoroso, debieron de haber șido compuestos antes de 1444, ya que 15 de estos últimos forman parte del conjunto de 17 que, según la Comedieta de Ponza, ofreció nuestro autor, juntamente con ésta y los Proverbios, a Doña Violante de Prades, Condesa de Módica y de Cabrera, de la casa real catalano-aragonesa.

1.7 Es lícito pensar, por otra parte, que los ocho sonetos religiosos, que solo se hallan en el códice M 59 [10], representan una producción relativamente reciente, lo que acaso reflejaría cierta preocupación religiosa en los últimos años de la vida del Marqués, quien, como es sabido, murió en 1458, a los 60 años de edad.

2. METODO

2.1 En el presente estudio llevaremos a cabo, pues, el análisis cuantitativo de los 42 sonetos del Marqués. En primer lugar analizaremos 20 sonetos amorosos que nos servirán de base para compararlos con otros tantos sonetos de índole similar de otros nueve poetas del Siglo de Oro, y luego estudiaremos la totalidad de los sonetos de nuestro autor, es decir, los 42. Para no repetirnos constantemente, ofrecemos los datos de los 20 sonetos amorosos y a continuación y separado por un corchete, los resultados de la totalidad de los sonetos del Marqués.

2.2 Los resultados obtenidos en los sonetos del Marqués (tanto de los 20 sonetos amorosos, como de la totalidad de ellos), van a ser comparados con los que nos suministran los 20 sonetos, igualmente amorosos, de los nueve poetas del Siglo de Oro. Hemos escogido 20 sonetos amorosos y no más para permitirnos la fácil comparación de estos con los 20 de base del Marqués. Estos 20 sonetos amorosos de nueve autores han sido seleccionados totalmente al azar, lo que, aunque no se trate de un "at random" automático, pueden considerarse como técnicamente válidos. Separamos los datos que nos procuran los sonetos del Marqués de los que nos suministran los restantes poetas mediante una barra inclinada.

2.3 Los poetas y sonetos escogidos para la comparación global han sido:

A) Juan Boscán (...?-1542):

> "Nunca de amor estuve tan contento,"
> "Las llagas que de amor son invisibles,"
> "Mas mientras más yo desto me corriere,"
> "Quién tendrá en sí tan duro sentimiento"
> "Aun bien no fui salido de la cuna"
> "El alto cielo, que en sus movimientos,"
> "Solo y pensoso en páramos desiertos,"

"Quise amaros, señora, de mi grado,"
"Como suele en el aire la cometa,"
"Querelleme de vos, señora, cuando"
"No es tiempo ya de no tener templanza"
"Vime al través en fuertes penas dado,"
"Dejadme en paz, oh duros pensamientos!"
"Yo cuento los pasos que voy dando,"
"Ponme en la vida más brava, importuna,"
"Cuando será que vuelva a ver los ojos"
"Ya canso al mundo y vivo todavía"
"Oíd, oíd los hombres y las gentes"
"Ha tanto que mi desdicha dura,"
"El fuerte mal que sufro de esta ausencia,"

B) Garcilaso de la Vega (1503-1536):

"Escrito está en mi alma vuestro gesto,"
"Oh dulces prendas, por mi mal halladas,"
"En tanto que de rosa y azucena"
"Hermosas ninfas, que, en el río metidas,"
"Oh hado ejecutivo en mis dolores,"
"Cuando me paro a contemplar mi estado"
"En fin, a vuestras manos he venido,"
"La mar en medio y tierra he dejado"
"Un rato se levanta mi esperanza,"
"Por ásperos caminos he llegado"
"De aquella vista pura y excelente"
"Señora mía, si de vos yo ausente"
"Si para refrenar este deseo"
"Como la tierna madre, que el doliente"
"Si quejas y lamentos pueden tanto,"
"Si a vuestra voluntad yo soy de cera,"
"Amor, amor, un hábito vestí,"
"Pasando el mar Leandro el animoso,"
"Dentro de mi alma fue de mí engendrado"
"Estoy continuo en lágrimas bañado,"

C) Fernando de Herrera (1534-1597):

"Osé y temí: mas pudo la osadía"
"Voy siguiendo la fuerza de mi hado"
"Pensé, mas fue engañoso pensamiento,"
"Al mar desierto, en el profundo estrecho"
"No puedo sufrir más el dolor fiero,"
"Venció las fuerzas el amor tirano,"
"En esta soledad, que el sol ardiente"
"Quien osa desnudar la bella frente"
"Yo bien pensaba, cuando el desdén justo"
"Solo y medroso, del peligro cierto"
"Amor en mí se muestra todo fuego,"
"Cual rociada aurora en blanco velo"
"Pierdo, tu culpa amor, pierdo engañado,"
"Cual de oro el cabello ensortijado,"
"Cese tu fuego, amor, cese ya, en tanto"
"Rojo sol, que con hacha luminosa"
"Suspiro, y pruebo con la voz doliente"
"Yo voy por esta solitaria tierra,"

"Dulces halagos, tierno sentimiento,"
"Si puede celebrar mi rudo canto"

D) Gutierre de Cetina (1520-1557?)

"Como enfermo a quien ya médico cierto"
"Como está el alma a nuestra carne unida,"
"Como se turba el sol y se oscurece"
"Con aquel recelar que amor nos muestra"
"Con gran curiosidad, con gran cuidado,"
"Contento con el mal de amor vivía,"
"Contra el influjo del contrario cielo,"
"Cosa es cierta, señora, y muy sabida,"
"Cual doncella hermosa y delicada"
"Cuando a contemplar vengo el curso breve"
"Aquel nudo que ya debía ser suelto,"
"Amor mueve mis alas y tan alto"
"Amor me tira y casi a vuelo lleva"
"Amor me trae en el mar de su tormento,"
"Amor, fortuna y la memoria esquiva"
"Aires suaves que mirando atentos"
"Ay, dulce tiempo, por mi mal pasado,"
"Bastar debiera, ¡ay Dios! Bastar debiera,"
"Como el pastor que, en la ardiente hora estiva,"
"Tanto tiempo he en amor perseverado,"

E) Lope de Vega (1562-1635):

"Tanto mañana y nunca ser mañana."
"No queda más lustroso y cristalino"
"Esparcido el cabello por la espalda"
"Versos de amor, conceptos esparcidos"
"Cuando imagino de mis breves días"
"Era la alegre víspera del día"
"Estos los cauces son y ésta la fuente,"
"De hoy más las crespas sienes de olorosa"
"Tu ribera apacible, ingrato río,"
"Cuando pensé que mi tormento esquivo"
"Así en las olas de la mar feroces,"
"Céfiro blando que mis quejas tristes"
"Hermosos ojos, yo juré que había"
"Que otras veces amé negar no puedo"
"Entre aquestas columnas abrasadas,"
"Cayó la torre que en el viento hacían"
"Amor, mil años ha que me has jurado"
"Con una risa entre los ojos bellos"
"Ya no quiero más bien que sólo amaros,"
"Belleza singular, ingenio raro"

F) Francisco de la Torre (s. XVI-XVII): [11]

"Ofrece amor a mis cansados ojos,"
"Llega mi mal a tal extremo, cuando"
"Al asomar del sol por el Oriente"
"Clara luna, que altiva y arrogante"
"Vuelvo los ojos graves y caídos"
"Eterno mal y grato mal eterno,"

"Sigo, silencio, tu estrellado manto,"
"Claras y trasparentes luminarias"
"Este real de amor desbaratado,"
"El ídolo purísimo que adoro,"
"Ríndeme amor en fuerte de mis ojos"
"Arrebató mi pensamiento altivo"
"Bellas lumbres del alto firmamento,"
"Solo, y callado, y triste, y pensativo,"
"Noche, que, en tu amoroso y dulce olvido,"
"Santa madre de amor, que el yerto suelo"
"Soberana beldad, extremo raro"
"Bella es mi ninfa, si los lazos de oro"
"Cuantas veces te me has engalanado,"
"Rompe la niebla de la noche fría,"

G) Luis de Góngora y Argote (1561-1627):

"La dulce boca que a gustar convida"
"De pura honestidad templo sagrado"
"Mientras, por competir con tu cabello,"
"Ni en este monte, este aire, ni este río"
"Ya besando unas manos cristalinas,"
"Tras la bermeja aurora el sol dorado"
"Oh claro honor del líquido elemento,"
"Raya, dorado sol, orna y colora"
"Gallardas plantas, que con voz doliente"
"Aunque a rocas de fe ligada vea"
"Yacen aquí los huesos sepultados"
"Si amor entre las plumas de su nido"
"Los blancos lilios que de ciento en ciento,"
"Al tronco Filis de un laurel sagrado"
"Verdes hermanas del audaz mozuelo"
"Con diferencia tal, con gracia tanta"
"No destrozada nave en roca dura"
"No enfrene tu gallardo pensamiento"
"Del color noble que a la piel vellosa"
"Si ya la vista, de llorar cansada,"

H) Francisco de Quevedo (1580-1645):

"Torcido, desigual, blando y sonoro,"
"A fugitivas sombras doy abrazos,"
"Es hielo abrasador, es fuego helado,"
"Cerrar podrá mis ojos la postrera"
"Músico llanto en lágrimas sonoras"
"Fuego a quien tanto mar ha respetado,"
"A todas partes que me vuelvo veo"
"Ya que no puedo la alma, los dos ojos"
"No, si no fuera yo quien solamente"
"Frena el corriente, oh Tajo, retorcido;"
"La que me quiere y aborrezco, quiero"
"Hermosísimo invierno de mi vida,"
"Alma es del mundo amor; amor es mente"
"Esa benigna llama y elegante"
"Cuando tuvo, Floralba, tu hermosura"
"Si mis párpados, Lisi, labios fueran,"
"Quien bien supo una vez, Lisi, miraros,"

"Diez años de mi vida se ha llevado"
"No me aflige morir, no he rehusado"
"Dejad que a voces diga el bien que pierdo"

I) Agustín de Salazar y Torres (1642-1675):

"Detente, aguarda, rey;¡ah! Quien te guía"
"También yerran los astros, Celia mía,"
"Iluminados del color del cielo"
"Dido se entrega del infiel troyano"
"Cintia,¿qué miras? El engaño griego"
"Amar sin las pensiones del amar,"
"Con vano ardor, con apetito ciego"
"Soñaba, ay dulce Cintia, que te veía;"
"Los campos de Agenor nevado toro"
"Dulcísimo veneno de Cupido,"
"Copiado tu esplendor llegué a mirar,"
"Apagadas del sol las luces bellas"
"Si a la región adonde el sol no llega"
"Tantos rigores, di, con un cuitado,"
"Si de alguna taberna en los tapices"
"Jamás he quebrantado juramento"
"Del sueño en el silencio sosegado,"
"Rosa del prado, estrella nacarada,"
"Junto a una dulce fuente, que sonora"
"Mira, Cintia, el poder de aquel dios fiero,"

2.4 Tras el análisis y cotejo ofrecemos la edición de los 42 sonetos del Marqués. Esta edición no pretende ser ni paleográfica
ni aun crítica en el aspecto ortográfico. Presenta, eso sí, todas las variantes de sentido. Tales variantes no han sido iden-
tificadas electrónicamente (como sería hoy en día posible), sino
a base del viejo sistema, es decir, a puño. A esta edición le
sigue la lista de términos por su frecuencia, así como otra lista
del vocabulario según su terminación. Finalmente, y para com-
pletar esta parte editora, ofrecemos una amplia concordancia de
los 42 sonetos del Marqués, seguida de una breve lista alfabética
de las variantes recogidas en la edición crítica.

2.5 La utilidad de toda concordancia de una obra literaria es
demasiado obvia como para que tengamos que discutirla aquí. Es
más, con el amplio desarrollo de las modernas técnicas de ordenación, se va a imponer cada día más que se presenten los textos
más importantes con este valioso instrumento. Solo de esta manera estaremos en condiciones de estudiar mejor y comprender más
hondamente una obra literaria. Lo mismo cabría decir, desde
luego, en cuanto al vocabulario con el número de veces que cada
término se presenta y su frecuencia dentro de una determinada
obra. Esta ecuación numérica facilitará no sólo los estudios de
vocabulario, sino también la búsqueda y consideración del tema
principal y de los temas secundarios. Finalmente, la ordenación
de los vocablos por su terminación puede ayudar enormemente a su
clasificación, pudiéndose dictaminar con gran rapidez, por ejemplo, la frecuencia de abstractos y formas verbales.

2.6 Al final del presente estudio, y a manera de apéndice, presentamos, por último, algunos de los cómputos totales que nuestro

análisis nos ha ofrecido. Son sólo parte de los resultados que hemos aprovechado en esta introducción y que, tratados con más amplia consideración y profundidad, pueden dar lugar a un mayor número de conclusiones.

3. ESTRUCTURA [12]

3.1 La estructura de los sonetos del Marqués queda señalada en la Tabla I, en donde se indican igualmente las de los otros 200 sonetos de base. Se observará, ante todo, que nuestro poeta llegó a manejar en los 20 sonetos amorosos 5 estructuras distintas, lo que no deja de contrastar con Lope, Quevedo y Salazar que únicamente utilizaron 2 [13]. Sólo Góngora supera a nuestro autor con 6 esquemas distintos. Este poeta, sin embargo, no cambia más que la estructura de los tercetos: CDECDE (7 casos), CDCDCD (6 casos), CDEDCE (3 casos), CDECED (2 casos), CDCEDE y CDCCDC (1 caso respectivamente) [14].

3.2 Considerando la totalidad de los sonetos del Marqués, son 7 los tipos de estructura que llegó a emplear, con dos esquemas no incluidos entre los 20 sonetos amorosos de base: ABBAACCA/DEFDEF, dos casos (4.76%), y ABABBCCB/DEFDEF, un solo caso (2.38%).

3.3 Los esquemas más frecuentes en el Marqués son: ABABABAB/CDCDCD (55.00% [45.23%) y ABABABAB/CDECDE (25.00% [30.95%), es decir, con los cuartetos en rima alternante, tipo que, por cierto, no hallamos en los otros poetas [15]. Es bien patente, por otra parte, el afán del Marqués por cultivar este tipo ya que el 80.00% [76.19% son de esta índole contra ninguno (0.00%) en los restantes poetas. Además, dos tipos son medio cruzados, con el primer cuarteto de rima alternante ABABBCCB (5.00% [4.76%). Esta estructura es asimismo privativa del Marqués.

3.4 Usa el Marqués, además, dos tipos enteramente nuevos a base de un cambio en la rima del segundo cuarteto: ABBAACCA/DEDEDE (10.00% [11.90%) y ABABBCCB/DEFDEF (0.00% [4.76%). Cabe señalar que estos dos tipos, juntamente con los tipos semicruzados ABABBCCB/DEFDEF (0.00% [2.38%) y ABABBCCB/DEDEDE (5.00% [2.38%). no parecen hallarse atestiguados en las obras de los poetas italianos anteriores al siglo XV [16].

3.5 Faltan, en cambio, en el Marqués los tipos ABBAABBA/CDCDCD y ABBAABBA/CDEDCE, que son bastante frecuentes en los otros poetas, en particular el primero (véase la Tabla I). En cuanto al segundo, tampoco lo documentamos en Lope, Quevedo y Salazar. Sin embargo, podemos observar como abunda en Boscán (10.00%) y, sobre todo, en Garcilaso (20.00%), llegando a un porcentaje global en los 200 sonetos de 6.50% (7.80% si descartamos los 20 sonetos del **Marqués**) [18].

3.6 En los sonetos de nuestro autor se observa, además, que la estructura 4+4+3+3, propia del soneto, no es tan firme ni absoluta como en los restantes poetas (véase la Tabla IIID) [19]. La pausa entre el primer cuarteto y el segundo no es a veces demasiado fuerte, pudiendo estar marcada con una simple coma (5.00% [11.90%) o desaparecer incluso del todo en un encabalgamiento (15.00% [7.14%) [20]. La separación es más clara entre el segundo cuarteto y los tercetos, con sólo una pausa débil (5.00% [2.38%) con coma (obsérvese que en Cetina tenemos 3 casos [15.00%] y en Góngora 10 [50.00%]).

3.7 La pausa tiende a desaparecer, asimismo, entre el primero y el segundo tercetos, con predominio de la pausa débil a base de coma (35.00% [35.71%) o del encabalgamiento (20.00% [35.71%). Solo Góngora le iguala, aunque en este último poeta los casos de encabalgamiento son mucho más raros (15.00%) [21]. Ello nos induce a pensar que el Marqués concibió a veces el soneto como una combinación 4+4+2+2+2, ya que los arreglos CDCDCD y DEDEDE son predominantes (70.00% [59.51%), siendo mucho más frecuentes que en Góngora, su más inmediato seguidor (30.00%) [22].

4. ENDECASILABO [23]

4.1 Tuvo el Marqués una marcada preferencia por una acentuación del endecasílabo en la 4a. sílaba, independientemente de la sexta, séptima u octava (además de la décima obligatoria). Esta predilección es tan acusada que el 77.44% [80.32% de los endecasílabos del Marqués la ostentan. Contrasta ello con el hecho de que el promedio global en todos los 200 sonetos es sólo de un 54.56%, con el máximo porcentaje entre los otros poetas de 62.14% en Lope (cierto predominio de acentuación sáfica 4-8) y un mínimo de 36.09% en Cetina.

4.2 Entre los endecasílabos del Marqués con acentuación en la 4a. sílaba, el 33.18% [34.47% son de naturaleza yámbica o heroica, es decir, 4-6. En términos absolutos, es decir, de todos los endecasílabos, los porcentajes son de 25.70% [27.69%, lo que está por debajo de las cifras que nos dan Garcilaso (48.31%) y Boscán (46.33%) y sólo un poco por encima de Torre (25.00%).

4.3 Las diferencias, por consiguiente, entre el endecasílabo del Marqués y el de los restantes poetas estriba en el frecuente uso, por parte del primero, de una acentuación 4-7 y 4-8, con un 44.35% [45.80% de casos. Los endecasílabos de acentuación 4-7, es decir, de naturaleza anapéstica o dáctila, son predominantes, con un 28.16% [30.76%, estando representados los de 4-8, o sea, sáficos, con solo un 16.19% [15.04%. La acentuación 4-8 (la 4-7 se pierde prácticamente en los demás poetas [24]) está presente en Lope con un 33.92%, en Torre con un 28.57% y en Góngora con un 25.35%. La proporción global en los 200 sonetos es de un 18.22% (véase la Tabla II).

4.4 No hay duda que un porcentaje bastante elevado de endecasílabos (7.39% [6.83%) podrían considerarse como de tipo catalán o provenzal, es decir, con sólo un acento fuerte en la 4a. sílaba [25]. Con todo, no queda totalmente claro si no debemos situar un acento secundario en otra sílaba ocupada por un monosílabo u otra palabra no acentuada. No queremos implicar con ello que no exista en los endecasílabos del Marqués una fuerte dosis de influencia catalano-provenzal, con su preferencia por una acentuación en la 4a. sílaba [26].

4.5 En el Marqués las combinaciones de vocales acentuadas más predominantes son: e-a (9.28% [10.03%), e-e (6.78% [6.97%), e-o (5.00% [3.57%) e i-e (5.71% [4.59%). Mientras que las dos primeras son igualmente preponderantes en los restantes poetas (8.14% y 8.10% respectivamente), las dos últimas caracterizan un tanto a nuestro autor, ya que dentro del promedio global de los 200 sonetos solo están representadas con un 2.71% y 3.78% respectivamente.

4.6 En la acentuación interna (sea ésta 4-6, 6, 4-7 o 4-8), la vocal predominante es de mucho la e (37.27% [36.90%), porcentaje que sólo alcanza Boscán. En comparación, los endecasílabos del Marqués son los de más bajo porcentaje en cuanto a a (22.92% [22.96%), que presenta un promedio global de 28.90%. Respecto, por otra parte, a este porcentaje, se observa en los sonetos de nuestro autor un leve incremento de i (14.64% en comparación con una media de 12.79%) y, en cambio, una casi igual disminución de o (18.78% frente a un 21.63% de promedio global).

4.7 Los endecasílabos del Marqués están por debajo del promedio global en cuanto a la esticomitia, es decir, con corte y pausa al final, marcados ortográficamente mediante un punto, un punto y coma, dos puntos, coma o signos de admiración o interrogación. El promedio global es de 83.86% y en el Marqués de 75.72% [74.66%. Este porcentaje está muy por debajo del que arrojan Boscán, Garcilaso, Herrera, Quevedo y Salazar, pero, a su vez, algo por encima del de Góngora.

4.8 Dentro de los que podemos considerar propiamente encabalgamiento, es decir, desbordamiento de un sintagma por encima del verso, notamos que su número es extremadamente elevado en el Marqués (24.28% [25.34%), siendo bastante superior a la media de los 200 sonetos (15.75%). Solo Góngora le supera con un 25.35%.

4.9 La distribución del encabalgamiento dentro de los sonetos del Marqués es bastante equitativa y normal, aunque se observa cierta leve predilección por colocarlo en el primer cuarteto: 33.81% [33.51%, frente a un promedio global de 29.96%. Tal situación se aproxima más bien a la de Lope (32.50%, frente a solo un 30.50% en el segundo cuarteto) y es superada de mucho por Quevedo (38.70% frente a 32.25% en el segundo cuarteto) y, sobre todo, por Salazar, quien manifiesta una muy notable inclinación por situar el encabalgamiento en el primer cuarteto (45.71% frente a 31.42% en el segundo cuarteto).

9.10 Es notable la inclinación de nuestro poeta por colocar el encabalgamiento en el primer verso del segundo cuarteto (14.70%

[14.09%), así como en el del primer terceto (13.23% [13.42%). Carga asimismo el encabalgamiento en el primer y en el tercer verso de cada soneto.

4.11 A diferencia de los otros poetas, el Marqués se atreve a usar el encabalgamiento en contra de la estructura misma del soneto. En efecto, en 3 casos el encabalgamiento se establece entre los dos cuartetos; en 3 casos más entre los 20 sonetos amorosos y en 4 más entre los 42, el encabalgamiento desborda el primer terceto. Es decir, que tenemos una estructura 4/4 (3 casos) y 3/3 (7 casos: 3+[4), con un promedio que, aunque no muy elevado (6.70% de todos los encabalgamientos: 4.41% [2.01%, en el primer caso, y 4.41% [4.69%, en el segundo), no deja de ser altamente significativo, ya que, aparte de nuestro autor, sólo Góngora se atreve, en dos ocasiones (2.81%), a encabalgar los dos tercetos.

5. RIMA

5.1 En lo tocante a la rima, la característica más sobresaliente del Marqués es el amplio uso de rimas oxítonas (19.05% [22.49%) [27]. El contraste es muy notable con respecto a los restantes poetas que sólo muy ocasionalmente hacen gala de ella [28]. Unicamente Salazar parece haber intentado resucitarla, tras un largo período de práctica desaparición (9.99%) [29] (véase la Tabla II.B).

5.2 En relación con los otros poetas, el Marqués es, después de Quevedo (47 rimas distintas), el autor con menor variedad de rimas (50), situándose bastante por debajo del promedio global (57.6 rimas distintas por autor). Es manifiesta la diferencia con Lope, quien, con gran alarde de recursos, usa nada menos que 81 rimas distintas en sus 20 sonetos de base. Hay que tener presente que en el conjunto de los 200 sonetos observamos sólo 127 rimas distintas.

5.3 Ciertas rimas son predominantes en los sonetos del Marqués: -al (13; 4.64% [21; 3.57%), -ad (10; 3.57% [19; 3.23%)], -eza (en realidad -eça: 14; 5.00% [16; 2.72%), -encia (en realidad -ençia: 10; 3.57% [12; 2.04%), -ino (-igno) (6; 2.14% [20; 3.40%), -ina (-igna) (10; 3.57% [13; 2.21%), -ón (3; 1.07% [12; 2.04%), -ones (10; 3.57% [13; 2.21%) y -oso (14; 5.00% [24; 4.08%). Sorprende un tanto, en cambio, el poco uso de rimas tan frecuentes en los otros poetas como -ado (sólo 2.38% para todos los 42 sonetos), -elo, -ido y -ento, y la total ausencia de las en -ados y -elo.

5.4 En cuanto a la vocal preponderante en la rima, hay que observar en el Marqués un enorme predominio de las tonalidades /o/ y /u/, con un total de 27.49% (20.35% de /o/ y 7.14% de /u/) en los 20 sonetos amorosos de base, y 22.24% (16.32% de /o/ y 5.92% de /u/) en la totalidad de sus 42. Al mismo tiempo, y a pesar de

que el timbre palatal /e/ es el más frecuente en el sistema vocálico del Marqués (véase 6.1), en la rima el porcentaje es más
bien relativamente bajo (28.92% [27.38%).

6. FONETICA

6.1 En los sonetos del Marqués el sonido vocálico preponderante
es el de la palatal e, que entre las vocales alcanza el elevado
porcentaje de un 30.97% [30.51%. No se aparta demasiado, sin
embargo, este porcentaje del que nos ofrecen los otros poetas y
ello a pesar de la presencia en el Marqués de la conjunción e
que, de eliminarla del cómputo, rebajaría el promedio de /e/-s a
28.97% [28.64%, resultando entonces uno de los más bajos, pero
aún, a pesar de todo, por encima del timbre velar /a/ (26.95%
[26.84%).

6.2 Dada la existencia de la e en lugar de la i/y conjuntiva, es
natural que, en contraposición con lo indicado anteriormente
(véase 6.1), la suma de timbres /i/ sea la más baja de todos los
poetas considerados, con un promedio entre todas las vocales de
13.76% [14.30%, y ello dentro de un promedio global entre todos
los sonetos de 7.50%.

6.3 Entre los sonidos consonánticos cabe destacar el marcado
predominio del sonido labiodental /f/ que en todos los 42 sonetos
del Marqués alcanza un 1.34%, frente a un promedio global de
0.91%. Ello es debido sobre todo a la presencia en el castellano
de la época de este sonido como constante etimológica en casos
como facer, etc.

7. PARTES DE LA ORACION

7.1 En lo relativo a las distintas partes de la oración, destaca
en el Marqués (véase la Tabla IV) el predominio de partículas
conjuntivas, que alcanzan el crecido porcentaje de 11.15%
[10.17%. Este porcentaje es muy superior al que arrojan los
restantes poetas y superior, asimismo, al promedio general de
8.44%. Contrasta ello, por ejemplo, con la relativamente baja
cantidad de preposiciones (9.07% [9.27%) (la más baja de todos
los restantes poetas y, desde luego, del promedio global
[11.55%]). Comparando la relación entre sí de los porcentajes
"conjunción:preposición," vemos todavía de manera más manifiesta esta disparidad (1.22:1, cuando, en realidad, la relación
global es de 0.73:1).

7.2 Aunque la relación entre verbo y conjunción (1:0.71 [1:0.67,
frente a 1:0.54 dentro del total de los 200 de sonetos), podría

dar lugar a la impresión de que el Marqués tenía cierta predilección por la ilación subordinada, no es menos cierto que casi
la mitad de las conjunciones (en realidad el 49%) son partículas
que unen construcciones bimembres del tipo "xxx y/ni/o yyy." Sólo
Quevedo, quien, sin embargo, abusa mucho menos de las conjunciones, hace gala de este tipo de sintagmas (30.05% del total de
conjunciones).

7.3 La importancia de las conjunciones en el Marqués queda más
patente aún al dividir sus sonetos en grupos de tres unidades
gramaticales, es decir, por ejemplo, "verbo + nombre + adjetivo,"
ya que los que ostentan una combinación "conjunción + x-parte +
y-parte," llegan en el Marqués a un total de 41 secuencias (con
187 ejemplos), mientras que sólo suben a 39 en Cetina (con 135
ejemplos), a 38 en Boscán (con 146 ejemplos) y a 31 en Quevedo
(con 122 ejemplos). Por otra parte, las combinaciones "sustantivo + conjunción + sustantivo" o "verbo + conjunción + verbo,"
llegan a 33 (19 + 15), mientras que en Lope, que le sigue, sólo
suben a 20 (15 + 5).

7.4 Dentro de las combinaciones ternarias del tipo "conjunción +
x-parte + y-parte," notamos que el Marqués tiene una gran predilección por la secuencia "conjunción + pronombre + nombre" (19
casos dentro de un promedio global de sólo 9.10%), así como
"pronombre + artículo + adjetivo" (9 casos dentro de un promedio
global de sólo 2.10%) y, finalmente, "conjunción + adverbio +
pronombre" (10 casos y una media global, en cambio, de 3.80%).
Asimismo, es bastante peculiar del Marqués la secuencia "conjunción + nombre + adjetivo" (11 ejemplos dentro de un promedio de
sólo 2.70%) y "conjunción + adjetivo + nombre" (16 casos con un
promedio global de 10.50%). Sorprende, en cambio, no encontrar
en él ni un solo caso de una secuencia "conjunción + preposición
+ adjetivo," que, entre los 200 sonetos de base, adquiere un
promedio global de 5.70%.

7.5 En cuanto a las combinaciones cuaternarias del tipo "conjunción + x-parte + y-parte + z-parte," precisa señalar que es
igualmente el Marqués el poeta que mayor número presenta de
ellas, con 86 casos dentro de una totalidad de 134 combinaciones
posibles (para el total de autores: 253 secuencias cuaternarias
posibles), mientras que Boscán, que le sigue, sólo ostenta 84
dentro de un total de 127.

7.6 Aunque la proporción de verbos es casi normal en el Marqués
(14.07% [15.03%, frente a un promedio global de 15.42%), observamos en él, no obstante, una muy elevada cantidad de verbos al
final de la frase, de manera que llegan a un 28.12% [27.56% de
todos los verbos (frente a un promedio global de 22.48%). Su
porcentaje es superior incluso al de Góngora, quien arroja un
27.36%

7.7 La relación entre sustantivos y adjetivos es en el Marqués de
1:0.84 [1:0.80]. Esta ecuación está muy cerca de la media de
1:0.80 y discrepa de la más alta de 1:0.96 de Torre y la más baja
de 1:0.80 de Salazar. En términos meramente de adjetivos, el
Marqués tiene una relativa elevada proporción de ellos, obser-
vándose cierta discrepancia entre los 20 sonetos amorosos de base

(18.03%) y el total de ellos (15.94%). Recordemos, por otra parte, que el porcentaje general es de 17.73%.

7.8 En relación con el sustantivo, el adjetivo va colocado delante de aquél en una proporción de 75.28% [74.93%. Esta cifra está dentro del promedio general de 74.87%. Contrasta ello, sin embargo, con la máxima proporción dada por Boscán (87.91%) y la mínima que atestigua Salazar (68.35%). Ahora bien, de esta elevada cantidad de adjetivos delante, más de la mitad, es decir, más exactamente, el 59.50% [52.54% son adjetivos posesivos, demostrativos o indefinidos, porporción que, sin embargo, está dentro del promedio general que se sitúa en 57.09%, y que contrasta, por ejemplo, con Boscán (75.40%) y, en el polo opuesto, con Góngora (22.56%), quien, por lo visto, se sirve sobre todo de adjetivos calificativos.

8. LARGURA DE LA FRASE

8.1 Los 20 sonetos amorosos del Marqués contienen 105 sintagmas, contados entre dos pausas fuertes, es decir, punto, punto y coma, dos puntos y signos de admiración e interrogación. Entre todos los 200 sonetos considerados el promedio de sintagmas es de 96.3, cantidad sustancialmente más baja que la de nuestro poeta. Con todo, la diferencia es notable respecto a Boscán (120 sintagmas) y, en el extremo opuesto, a Góngora (65 sintagmas) y, sobre todo, a Torre (sólo 56).

8.2 En términos de cada soneto, el promedio de frases es de 5.75 [5.61 por soneto, mientras que el mismo promedio en los 200 sonetos de base es de 4.81 sintagmas por unidad. Se impone aquí comparar igualmente el caso de nuestro autor con el de Boscán (6 sintagmas por soneto) y, por lo bajo, con el de Góngora (3.25) y, en particular, con el de Torre (2.80 frases por unidad).

8.3 En el Marqués la frase predominante consta de 7 elementos, mientras que en los 200 sonetos de base consta de 14 (59 casos) o 13 (55 casos). El predominio de este tipo de frase está de acuerdo con lo que observamos en Boscán (aunque con mayor insistencia aún), en Garcilaso y en Salazar. En los restantes poetas predomina la frase a base de 13 elementos (Cetina y Quevedo), 20 (Lope), 21 (Torre) y, finalmente, de 23 en Góngora, quien se caracteriza, por lo tanto, por una frase más recargada y ampulosa.

8.4 Ahora bien, es típico del Marqués que, a un marcado predominio de las frases con 6 y, sobre todo, con 7 términos, le sigue cierta preferencia por las de 11 a 15 elementos y, además, las que ostentan de 21 a 25 vocablos. Se trata de un fenómeno que, con tan señalada intensidad, no aparece en los restantes poetas (véase la Tabla V).

8.5 La frase con mayor número de términos es en el Marqués de 41 vocablos entre los 20 sonetos amorosos y de 52 en la totalidad de

sus 42 sonetos. Estas cantidades no divergen demasiado de las
que nos ofrecen Salazar (50), Boscán (51), Herrera (51) y Garcilaso (57). Muy marcada es, en cambio, la diferencia respecto a
otros poetas como Torre (74), Cetina (80), Góngora (87) y, sobre
todo, Lope, quien, a pesar de no ser uno de los más exagerados en
este aspecto, tiene un soneto ("Cuando imagino de mis breves días"), construido todo él a base de una sola frase con 122 términos. En el polo opuesto cabe situar a Quevedo, quien tiene como
frase más larga una de 39 términos.

9. NOTAS SOBRE EL VOCABULARIO

9.1 Como ya es de esperar, en los sonetos del Marqués, tanto en
los 20 de base como en la totalidad de los 42, son los términos
funcionales los más frecuentes y, sobre todo, la conjunción copulativa e [y], que se presenta con un 5.56% [5.60%, lo que contrasta con el conjunto de los 200 sonetos amorosos, con únicamente un 3.40%. Sólo Herrera se le acerca un tanto con una frecuencia de 4.75%. El que menos es Salazar, con sólo un 2.26%.

9.2 Como término más frecuente le sigue la preposición de, la
cual, sin embargo, aún sumándole el del que no hemos desarticu-
lado, ostenta un porcentaje bastante inferior al de e [y]. En
efecto, tenemos en el Marqués una proporción de 3.88% [3.60% de
de-s (en el conjunto de 200 sonetos: 3.65%), que sumándola a la
de del (0.28% [0.69% /0.95%), arroja un total de 4.17% [4.30%, no
demasiado lejos, por cierto, del promedio global de 4.61%.

9.3 Interesante es la elevada proporción de los morfemas negati-
vos non (no) y nin (ni), el segundo de los cuales está en evidente relación con e [y]. En cuanto al primero, su porcentaje es
de 2.02% [1.94% /1.38%, lo que representa una notable diferencia.
Esta es todavía mucho más sensible en cuanto a nin, ya que sus
proporciones son: 1.73% [1.24%, con sólo, en la totalidad de los
200 sonetos, de un bajo 0.42%. Ello, unido a lo ya señalado para
e [y] y, además, a la marcada preferencia por que y o y al uso de
la cópula verbal es (1.08% en el Marqués, frente a un 0.66% en
todos los 200 sonetos), evidencia una fuerte predilección de
nuestro poeta por la cláusula paratáctica y de índole copulativa.

9.4 Dentro del vocabulario, uno de los aspectos más sobresalien-
tes de nuestro poeta es, muy de acuerdo con la poesía prerrena-
centista, el predominio de nombres propios, no solo clásicos
(mitológicos e históricos), sino también modernos. Su proporción
es de un 18.34% de todos los nombres propios que se encuentran en
los 200 sonetos globales (debería, en realidad, corresponderle
sólo un 10%) y la cifra total de nombres propios en los 42 sonetos del Marqués, es de 91, es decir, 2.16 por soneto, mientras
que en los 200 la proporción sería sólo de 0.75 por soneto.

9.5 La mayor parte de los nombres propios del Marqués son clásicos (50.00%), aunque abundan igualmente los geográficos (30.00%)

y los bíblicos (16.66%), categoría esta última casi desaparecida
en los otros autores. Falta, en cambio, en nuestro poeta la categoría de nombres propios femeninos relacionados con el nombre
ficticio o real de la amada.

9.6 Prevalecen en el Marqués los conceptos de vida(s) y amor(es).
El primero, con un porcentaje de 0.34% [0.36%, es algo superior
al promedio global de 0.25%. El segundo, en cambio, que en los
20 sonetos arroja una proporción de 0.59% ([0.33%), es bastante
inferior al promedio global de 0.71%, que nos dan los 200 sonetos.

9.7 Los sonetos del Marqués son extremadamente parcos en alusiones al cuerpo humano. Se alude en ellos a la mano (0.11% [0.08%
/0.09%) y a los ojos (0.05% [0.08%, frente a un elevado /0.31%),
que aún no son precisamente los de la amada sino los del propio
poeta. Sólo se menciona de la mujer el pelo (0.05% [0.02%
/0.01%) o el cabello (0.05% [0.02% /0.07%), insistiéndose más
bien en su andar (0.05% [0.02% /0.02%), en su figura, en su
forma, en su presencia, en su bulto (es decir, "rostro"), en su
viso, en su imagen y en su aspecto.

9.8 Contrasta la ausencia de partes del cuerpo humano con la detallada descripción que de él ofrecen los restantes poetas,
quienes, no solamente mencionan la boca y los ojos de la amada,
sino también sus cejas (0.005%), su cuello (0.04%), su cara
(0.01%), su frente (0.07%), sus párpados (0.01%), sus brazos
(0.02%), su garganta (0.005%), sus dientes (0.01%), llegando la
mención incluso a los senos (0.02%) y a la tetilla (0.005%).

9.9 Es por ello que nuestro poeta desconoce en sus sonetos amorosos el erotismo del beso, noción que, en cambio, con todas sus
derivaciones (besar, besando, besé, etc.), es relativamente frecuente en el léxico de los poetas posteriores (0.02%). De la
misma manera, no es de extrañar que no aluda al concepto del
tocar, que en el vocabulario de los poetas posteriores se desa-
rrolla hasta alcanzar un 0.06%.

9.10 En realidad, impera más bien en el Marqués la idea de pena y
sufrimiento que la de gozo y alegría. Predomina, en efecto, la
idea de morir (0.45% [0.25% /0.32%), de muerte (0.28% [0.24%
/0.15%), y de mortal (0.34% [0.19% /0.08%), que va acompañada de
una fuerte dosis de tristeza (0.34% [0.22% /0.20%), de pena
(0.57% [0.30% /0.16%), de dolor (0.28% [0.16% /0.27%) y de
sufrimiento (0.05% [0.05% /0.04%).

9.11 Ello explica lo antes señalado a propósito de non [no] y nin
[ni] (9.3), que, juntamente con jamás (0.28% [0.16% /0.05%) y
nunca (0.05% [0.02% /0.13%), son extremadamente frecuentes y que,
en cambio, no hallemos en todos los sonetos de nuestro autor ni
un solo caso de siempre, frecuente en los poetas posteriores
(0.15%). Sólo ostenta el Marqués un ejemplo de toda vía (>
todavía), que, como es sabido, en la época medieval podía adqui-
rir el sentido positivo equivalente al de aquel último adverbio.

9.12 Establece nuestro poeta cierta relación entre el amor y la
guerra, por lo que echa mano a menudo de una terminología mili-

tar, la cual, aunque no desconocida del todo de los demás poetas,
tiende a ser en él más amplia y específica. Es así que hace uso
de términos como: artillería (0.05% [0.02% /0.005%), lid(e)
(0.10% [0.05% /0.01%), campal (0.05% [0.02% /0.005%), combate(s)
(0.10% [0.05% /0.01%), batalla (0.05% [0.02% /0.005%), sitio
(0.05% [0.02% /0.005%), guerra (0.11% [0.05% /0.07%), paces
(0.11% [0.04% /0.03%), espada (0.05% [0.08% /0.03%) y prisionero
(0.05% [0.02% /0.005%).

9.13 Entre los adjetivos, seguramente debido a la influencia pe-
trarquista, destacan los que tienen relación con la esfera de lo
divino. En efecto, dejando de lado los sonetos religiosos, los
20 meramente amorosos encierran adjetivos como divina (0.22%
[0.22% /0.08%), deal (0.11% [0.05% /0.01%), deesa (0.05% [0.02%
/0.005%), celeste (0.05% [0.02% /0.01%), angélico (0.05% [0.02%
/0.01%) e ídola (0.05% [0.02% /0.005%). Es bien sabido que "los
poetas del "dolce stil nuovo" habían extremado la idealización
del amor hasta presentar a la amada como un ser celeste, fuente
de regeneración espiritual y especie de inteligencia averroísta"
(cp. Lapesa [1957], p. 183).

9.14 No son relativamente frecuentes en el Marqués los adjetivos
calificativos. Tanto es así que, por ejemplo, no documentamos
ningún adjetivo de color. Las pocas referencias a los matices se
expresan mediante un abstracto: verdor (0.05% [0.02% /0.005%);
o mediante una alusión metafórica a ciertas flores: jazmín
(0.05% [0.02% /0.005%), clavellina (0.05% [0.02% /0.005%); o,
finalmente, a ciertas piedras preciosas: rubí (0.05% [0.02%
/0.005%), perlas (0.05% [0.02% /0.03%) y gema (0.05% [0.02%
/0.005%).

9.15 Es abundante, en cambio (aparte del neutro gran(de): 0.57%
[0.63% /0.18%) el adjetivo gentil que era particularmente grato
al "dolce stil nuovo" y a Petrarca y que no reaparece en los
restantes poetas (0.28% [0.16% /0.03%), siéndole privativos
igualmente los integrados a base de arquetipos clásicos:
pompeana, saturnina, társica, etc.

9.16 Es evidente que el Marqués compensó en parte esta ausencia
de adjetivos calificativos con formaciones a base de abstractos:
fermosura (0.22% [0.11% /0.08%); belleza (0.22% [0.11% /0.07%),
beldad (0.11% [0.05% /0.07%), crueza (0.17% [0.08% / 0.01%),
gentileza (0.05% [0.02% /0.005%), graveza (0.05% [0.02% /0.005%),
etc.

9.17 Los adjetivos a base del antiguo participio de presente son
una nota destacada del vocabulario del Marqués (0.67% [0.83%
/0.43%), con algunos harto privativos: triunfante, fulgente,
rodante, etc. Esta particularidad es posible que sea debida a
cierta influencia catalana, muy ostensible en toda la obra del
Marqués. Es notable, por otra parte, la diferencia en el uso del
participio de presente y el gerundio, ya que el Marqués es, con
Quevedo (0.43%), uno de los poetas que menor cantidad ofrece de
los segundos (0.56%), lo que contrasta ciertamente con Garcilaso
(1.45%) y, sobre todo, con Cetina (1.90%) (promedio global:
0.95%).

9.18 En cuanto a las partículas y aparte de lo ya indicado a propósito de las ilativas e, nin y o (7.2), cabe destacar el elevado porcentaje en el Marqués de las adversativas mas (0.68% [0.61% /0.37%) y pues (0.51% [0.58% /0.25%), lo que contrasta con la baja proporción de pero (0.05% [0.05% /0.11%). Con todo, la elevada suma de estas partículas constituiría un indicio de la elaborada estructura interna de los sonetos de nuestro autor [30].

10. NUESTRA EDICION

10.1 Ofrecemos a continuación los 42 sonetos del Marqués. Nos permitimos, como ya hemos indicado, actualizar su ortografía, con preferencia por las formas modernas sobre todo cuando ello no implica un cambio demasiado radical, que haga extorsión al cómputo métrico. Es por ello por lo que, a manera de ejemplo, conservamos en un caso discíplo en lugar del moderno discípulo. Modernizamos, en cambio, las grafías con consonante doble o con ph en lugar de f. Cambiamos, asimismo, formas como ato en lugar de acto, y cibdad en lugar de ciudad, y otras por el estilo. Finalmente, preferimos las formas modernas de los nombres propios, tan abundantes en la poesía del Marqués.

10.2 Nos atrevemos a alterar igualmente el sistema de las sibilantes, un tanto vacilante ya en esta época, prefiriendo el sistema actual, con lo que quedan eliminadas grafías tales como lacerío, templança, guissa y etc.

10.3 Dentro de estas alteraciones y en aras al sabor medieval que los textos deben conservar, hemos respetado las formas con f etimológica (fija, etc.), las grafías con x (quexoso, etc.) y, el timbre /e/ de la partícula conjuntiva. Asimismo, hemos mantenido las formas non (sinon) y nin en lugar de no (sino) y ni como en la actualidad.

10.4 Estas modificaciones uniformizarán un tanto el texto y facilitarán: 1) la rápida identificación de los términos en las concordancias y demás listas de vocabulario, y 2) la adecuada lectura e interpretación de los textos. Hay que señalar, no obstante, que los recuentos y demás análisis, sobre todo en lo tocante a la fonética, han sido llevados a cabo a base de los textos primitivos, tal y como se ofrecen, en particular, en la edición de J. Aamador de los Ríos.

10.5 En nuestra edición de los 42 sonetos del Marqués no señalamos las variantes gráficas o, mejor dicho, ortográficas. Apuntamos, eso sí, las de sentido o que ofrecen formas curiosas muy dignas de ser tenidas en cuenta. Es más, recogemos estas variantes en una concordancia aparte.

10.6 No se nos escapa que las libertades que en nuestra edición nos hemos permitido extrañarán a algunos y las considerarán como una aberración literaria [31]. Es posible. Nos hemos inclinado, sin embargo, por la actualización relativa de los textos después de amplias consideraciones y de darnos cuenta de que es casi seguro que ninguno de los manuscritos que hoy día poseemos representa la versión original del Marqués. Por otra parte, en ellos las variantes, sobre todo ortográficas, son numerosas y divergentes. Consideramos, por consiguiente, que, por un mal entendido respeto hacia los textos antiguos, es absurdo perpetuar innecesarias y engorrosas formas arcaizantes: desde luego, la ortografía no es literatura, de la misma manera que tampoco lo es el papel o la tinta con que las obras antiguas se escribieron.

*

II

TEXTOS

EQUIVALENCIAS

S.S.	Amador	Vegué	S.S.	Amador	Vegué
I	I	I	XXII	XXVIII	XXXVI
II	III	III	XXIII	X	X
III	IV	IV	XXIV	XVII	XVII
IV	VI	VI	XXV	XXIX	XVIII
V	VII	VII	XXVI	XXXII	XXXI
VI	VIII	VIII	XXVII	XV	XV
VII	IX	IX	XXVIII	XXX	XXII
VIII	XI	XI	XXIX	XXXIV	XXXIII
IX	XII	XII	XXX	XIII	XIII
X	XIV	XIV	XXXI	XXXI	XXX
XI	XVI	XVI	XXXII	XXXIII	XXXII
XII	XVIII	XIX	XXXIII	XXXV	XXXVI
XIII	XIX	XX	XXXIV	XXXVI	XXXV
XIV	XX	XXI	XXXV	XXXVII	XXXIV
XV	XXI	XXIII	XXXVI	XXXVIII	XXXVIII
XVI	XXII	XXIV	XXXVII	XXXI	XXXIX
XVII	XXIII	XXV	XXXVIII	XL	XL
XVIII	XXIV	XXVI	XXXIX	XLI	XLI
XIX	XXV	XXVII	XL	XLII	XLII
XX	XXVI	XXVIII	XLI	II	II
XXI	XXVII	XXIX	XLII	V	V

-I-

(Amad. I; Vegué I)
MSS.: M, R, I, PA, PE, PH [32]

Soneto del Marqués [33]

En este primero soneto quiere mostrar el autor que, cuando los cuerpos superiores, que son las estrellas, se acuerdan con la natura, que son las cosas baxas, facen la cosa muy más limpia e muy más neta.

1   Cuando yo veo la gentil criatura
      que el cielo, acorde con naturaleza,
      formaron, loo mi buena ventura,
      el punto e hora que tanta belleza
5   me demostraron, e su fermosura,
      ca sólo de loar es la pureza;
      mas luego torno con igual tristura,
      e plango e quéxome de su crüeza.
      Ca non fue tanta la del mal Tereo,
10   nin fizo la de Aquila e de Fotino,
      falsos ministros de ti, Tolomeo.
      Así que lloro mi servicio indigno
      e la mi loca fiebre, pues que veo
      e me fallo cansado e peregrino.

4. I, PA, PE, PH: punto]tiempo.- 6. PA, PE, PH: loar]loor;
M:]sola de loor; I: la pureza]gran pureza.- 7. I, PA, PE,
PH: tristura]tristeza.- 8. I: su crueza]tu crueza.- 9. PA,
PE: tanta]tanto; M: Tereo] Theseo.- 13. PE: la mi]lo muy.

-II-

(Amad. III; Vegué III)
MSS.: M, R, I, PA, PE, PH

Soneto del Marqués

En este tercero soneto, el autor muestra como en un día de una fiesta vio a su señora así en punto e tan bien guarnida, que de todo punto le refrescó la primera ferida de Amor.

1   Cual se mostraba la gentil Lavina
    en los honrados templos de Laurencia,
    cuando solemnizaban a Heretina
    las gentes de ella, con toda fervencia;
5   e cual parece flor de clavellina
    en los frescos jardines de Florencia,
    vieron mis ojos en forma divina
    la vuestra imagen e deal presencia,
    cuando la llaga o mortal ferida
10 llagó mi pecho con dardo amoroso:
    la cual me mata en pronto e da [la] vida,
    me face ledo, contento e quexoso.
    Alegre paso la pena indebida;
    ardiendo en fuego, me fallo en reposo.

1. I: Lavina]Laviana.- 2. PA: templos]tiemplos.- 3. I: cuando]que cuando.- 4. M, R, I, PE, PH: fervencia]femencia.- 5. PH: flor]frol.- 8. M: deal]diva.-

-III-

(Amad. IV; Vegué IV)
MSS.: M, R, I, PA, PE, PH

En este cuarto soneto, el autor muestra e da a entender como él es signado de amor, por tal manera e con tantos pertrechos que él non sabe que faga de sí; e muestra asimesmo que, pues David nin Hércules non se pudieron defensar, así por ciencia como por armas, que non es posible a él de lo facer.

1   Sitio de amor con gran artillería
    me veo en torno, e con poder inmenso,
    e jamás cesan de noche e de día,
    nin el ánimo mío está suspenso
5   de sus combates, con tanta porfía
    que ya me sobran, maguer me defenso.
    Pues, ¿qué farás, oh triste vida mía,
    que non alcanzo por mucho que pienso?
    La corpórea fuerza de Sansón,
10 nin de David el gran amor divino,
    el seso nin saber de Salomón,
    nin Hércules se falla tanto digno
    que resistir pudiesen tal presión;
    así que a defensar me fallo indigno.

2. I, PH: e con poder]e poder; PA, PE:]en poder.- 4. PE: suspenso]suspensoso.- 6. R: sobran]sobra.- 8. R: que non]ca non; PA: non alcanzo]non le alcanzo; PA, PE: mucho que pienso]mucho pienso.- 12. PH: falla]se falló; PA, PE: tanto]tan.- 13. R, I, PA, PE, PH: presión]prisión.- 14. PH: así que a]así, defensar.

-IV-

(Amad. VI; Vegué VI)
MSS.: M, R, I, PA, PE, PH

En este sexto soneto, el autor dice que el agua face señal en la piedra, e ha visto paces después de gran guerra, e que el bien nin el mal non dura; mas que su trabajo e nunca cesa. E dice asimesmo que si su señoría le quiere decir que ella non le ha culpa en el trabajo que pasa, qué fará él a la ordenanza de arriba; conviene a saber, de los fados, a los cuales ninguno de los mortales puede facer resistencia nin contradecir.

1   El agua blanda en la peña dura
    face por curso de tiempo señal,
    e la rueda rodante la ventura
    trasmuda e troca del geno humanal.
5   Paces he visto après de gran rotura
    atarde tura el bien, nin face el mal;
    mas la mi pena jamás ha folgura
    nin punto cesa mi langor mortal.
    Por ventura dirás, ídola mía,
10 que a ti non place del mi perdimiento;
    antes repruebas mi loca porfía.
    Di, ¿qué faremos al ordenamiento
    de Amor, que priva toda señoría,
    e rije e manda nuestro entendimiento?

1. PH: agua]aygua.- PA, PE: peña]piedra.- 4. R, I: e troca]o troca; M:]o toca; PA: geno]genus.- 5. R, I: après de gran]après gran.- 6. I, PA, PE, PH: tura el bien]dura bien; R:]tura bien; I, PA, PE, PH: face el mal]face mal.- 7. I, PE, PH: folgura]forgura.- 10. I, PA, PE, PH: del mí]de mí.- 12. PA, PE, PH: al ordenamiento]del ordenamiento.

- V -

(Amad. VII; Vegue VII)
MSS.: M, R, I, PA, PE, PH

En este cuanto sétimo soneto, el autor muestra como él non había
osar demostrar a su señoría el amor que le había, nin la lengua
suya era despierta a gelo decir; por tanto gelo escribía, según
que Fedra fizo a Hipólito, su amado, según que Ovidio lo muestra
en el libro de las Epístolas.

1   Fedra dio regla e manda que en amor,
     cuando la lengua non se falla osada
     a demostrar la pena o la dolor,
     que en el ánimo aflicto es emprentada;
5   la pluma escriba e muestre el ardor
     que destruye la mente fatigada;
     pues osa, mano mía, e sin temor
     te faz ser vista fiel enamorada.
     E non te pienses que tanta belleza
10   e sincera claror cuasi divina,
     en sí contenga la feroz crüeza,
     nin la nefanda soberbia maligna;
     pues vaya lexos inútil pereza
     e non se tema de imagen benigna.

1. M, I, PA, PH: que en amor]que Amor.- 3.   PA, PE: o la
dolor]e la dolor.- 4.   I: en el]tal; PA, PE: en el ánimo
aflicto]en el aflicto;   I, PH: emprentada]enplantada;   R:
]emplentada; PA, PE: enplectada.- 6. R, I: destruye]derruye.-
8.   PA, PE, PH: faz]face.- 10. I: cuasi]que así.- 11. R, I,
PA, PE, PH: en sí contenga]contenga en sí; R, PA, PE, PH:
feroz]feroce; I:]fuerte.- 13. I: vaya]vayan.

-VI-

(Amad. VIII; Vegué VIII)
MSS.: M, R, I, PA, PE, PH

En este cuanto octavo soneto muestra el autor en como, non embargante su señora o amiga lo hubiese ferido e cautivado, que a él non pensaba de la tal prisión.*

    1   ¡Oh dulce esguarde, vida e honor mía,
         segunda Helena, templo de beldad,
         so cuya mano, mando e señoría
         es el arbitrio mío e voluntad!
    5   Yo soy tu prisionero, e sin porfía
         fuiste señora de mi libertad,
         e non te pienses fuya tu valía
         nin me despliega tal cautividad.
         Verdad sea que amor gasta e destruye
    10   las mis entrañas con fuego amoroso,
         e la mi pena jamás disminuye,
         nin punto fuelgo, nin soy en reposo,
         mas vivo alegre con quien me refuye;
         siento que muero, e non soy quexoso.

3. PA, PE: so cuyo mando e señoría.- 4. I: arbitrio]arbitro;
PH:]albitrio.- 6. R, PA, PE: fuiste]fueste; I:]fuste.- 7.
R, I: fuya]fuyga.- 9. R, I: destruye]deruye.- 12. I, PH:
fuelgo]fuelga.- 13. M, I, PH: refuye]destruye.

*MSS.: presión.

-VII-

(Amad. IX; Vegué IX)
MSS.: M, R, I, PA, PE, PH

En este cuanto noveno soneto, el autor muestra como en un día de
gran fiesta vio a la señora suya en cabello; dice ser los cabellos suyos muy rubios e de la color de la [es]tupaza, que es una
piedra que ha la color como de oro. Allí do dice filos de Arabia, muestra asimesmo que eran tales como filos de oro, por
cuanto en Arabia nace el oro; dice asimesmo que los premia un
verdor placiente, e flores de jazmines: quiso decir que la
crespina suya era de seda verde e perlas.

1   Non es el rayo de Febo luciente,
     nin los filos de Arabia más fermosos
     que los vuestros cabellos luminosos,
     nin gema de estupaza tan fulgente.
5   Eran ligados de un verdor placiente
     e flores de jazmín, que los ornaba;
     e su perfecta belleza mostraba,
     cual viva flama o estrella de Oriente.
     Loó mi lengua, maguer sea indigna,
10   aquel buen punto que primero vi
     la vuestra imagen e forma divina,
     tal como perla e claro rubí,
     e vuestra vista társica e benigna,
     a cuyo esguarde e merced me di.

1. R, PA, PE: de Febo]del Febo; I:]del Flebo.- 2. I:
filos]fijos.- 4. M, R: de estupaza]de poza; PH:
fulgente]luciente; PA, PE:]resplandeciente.- 7. R:
mostraba]demostraba.- 9. PA, PE: sea]se.- 10. PA, PE, PH:
aquel]e aquel.- 14. I: a cuyo]de cuyo.

-VIII-

(Amad. XI; Vegué XI)
MSS.: M, R, I, PA, PE, PH

En este onceno soneto, el autor se quexa de su mesma lengua, e
inquiétala e redargúyela, por cuanto a ella place que él muera,
así callando; e dice que non le parece sea gran ciencia lo tal.

1 Despertad con aflato doloroso,
tristes suspiros, la pesada lengua:
mío es el daño e suya la mengua
que yo así viva.jamás congoxoso.
5 ¿Por ventura será que habré reposo
cuando recontaré mis vexaciones
a aquélla a quien sus crúeles prisiones
ligan mis fuerzas con perno amoroso?
¿Quieres que muera o viva padeciendo,
10 e sea oculta mi grave dolencia,
la cual me gasta e vame dirruyendo,
e sus langores non han resistencia?
¿De qué temedes? Ca yo non entiendo
morir callando sea gran ciencia.

1. I, PA, PE, PH: con aflato]con el flato.- 3. M, R:
suya]vuestra; R: mengua]lengua.- 6. R, PH:
recontaré]recontares; I:]te racontares; M:]contares; PA,
PE:]recuentaré.- 7. R, PA, PE: a aquélla]aquélla; M, PA, PE:
prisiones]pasiones; PH:]presiones.- 8. PH: mis]sus.- 9. R,
I: padeciendo]languiendo; PA, PE, PH:]callando.- 11. R, PA,
PE, PH: vame]va; M: dirruyendo]destruyendo.- 13. I: ca yo
non]que non; R, PA, PE, PH:]ca non.

-IX-

(Amad. XII; Vegué XII)
MSS.: M, R, I, PA, PE, PH

En este duodécimo soneto, el autor muestra como la señora suya es
así gentil e fermosa, que debe ser cimera e timbre de amor, e que
non es menos cuerda e diestra.

1   Timbre de amor, con el cüal combate,
     cautiva e prende toda gente humana;
     del ánimo gentil de Rea, mate,
     e de las más fermosas, soberana;
5   de la famosa rueda tan cercana
     non fue por su belleza Virginéa,
     nin fizo Dido, nin Damne Penea,
     de quien Ovidio gran loor explana.
     Templo eminente, donde la cordura
10   es adorada, e honesta destreza,
     silla e reposo de la fermosura;
     coro placiente do virtud se reza,
     válgame ya, deesa, tu mesura
     e non me juzgues contra gentileza.

1. PA: timbre]tiemple; PE, PH:]timble.- 2. I: gente]la
gente.- 3. R, I, PA, PE: rea mate]derrero mate; PH:]derero
mate; M: de reromate.- 4. PE: fermosas]fermosa.- 5. I:
famosa]fauosa.- 6. I, PA: por su belleza]por belleza.- 8. I,
PE, PH: Ovidio]Omero; PA:]homero.- 9. R, I, PA, PE:
eminente]emicante.- 10. R, PA, PE: do virtud]de virtud.- 13.
R, PA, PE, PH: válgame ya]válgame; I: deesa]deuesa.

-X-

(Amad. XIV; Vegué XIV)
MSS.: M, R, I, PA, PE, PH, AH

En este catorcésimo soneto, el autor muestra cuando él es delante
aquella su señora, le parece que es el monte Tabor, en el cual
Nuestro Señor apareció a los tres discípulos suyos; e por cuanto
la historia es muy vulgar, non cura de la escribir.

1   Cuando yo soy delante aquella dona,
        a cuyo mando me sojuzgó Amor,
        cuido ser uno de los que en Tabor
        vieron la gran claror que se razona,
5   o que ella sea fija de Latona,
        según su aspecto e grand[e] resplandor:
        así que punto yo non he vigor
        de mirar fixo su deal persona.
        El su fablar grato dulce, amoroso,
10   es una maravilla ciertamente,
        e modo nuevo en humanidad:
        el andar suyo es con tal reposo,
        honesto e manso, e su continente,
        ca, libre, vivo en cautividad.

1. PA, PE: yo soy]soy.- 2. PE: sojuzgó]suyugó; I:
mando]mandado.- 3. M, I: cuido]cuyo.- 4. I, PE, PH:
claror]calor; PE: se razona]se razonaba; PH:]razona.- 8. I:
deal]de deal.- 11. PH, PE, PA: modo nuevo]modo non nuevo.- 13.
I: manso]mando; R: e su]su.- 14. PH, AH: ca]que.

-XI-

(Amad. XVI, Vegué XVI)
MSS.: M, R, I, PA, PE, PH, AH

Otro soneto que el Marqués fizo a ruego de un pariente suyo el
cual le parecía que era vexado e atormentado de amor: era el
conde de Benavente, don Alvaro.

En este diez e seseno soneto, el autor fabla quexándose del trabajo que a un amigo suyo por amor le veía pasar, e conséjale los
remedios que en tal caso le parecen se deban tomar.

  1   Amor, deüdo e voluntad buena
       doler me facen de vuestra dolor,
       e non poco me pena vuestra pena,
       e me [a]tormenta la vuestra langor.
  5   Cierto bien siento que non fue terrena
       aquella flama, nin la su furor,
       que vos inflama e vos encadena,
       ínfima carcel, mas celeste amor.
       Pues, ¿qué diré? Remedio es olvidar;
10   mas ánimo gentil atarde olvida,
       e yo conozco ser bueno apartar.
       Pero deseo consume la vida:
       así diría, sirviendo, esperar
       ser cualque alivio de la tal ferida.

1. PH: deudo e voluntad]deudo voluntad; PA, PE:]donde
voluntad.- 2. PA, PE: doler]dolor; I, PA, PE: facen]face.- 5.
I, PH: que non]ca non; PA, PE:]e non; AH:]como.- 7. PE,
PH, AH: e vos]nin vos.- 8. PA, PE: ínfima]infirme.- 11. PE:
conozco]cogno ser.- 14. AH: alivio de la tal]alivio tal.

-XII-*

(Amad. XIX, Vegué XIX)
MSS.: M, R, AH

Otro soneto del Marqués

1   Lexos de vos e cerca de cuidado,
    pobre de gozo e rico de tristeza,
    fallido de reposo e abastado
    de mortal pena, congoxa e graveza;
5   desnudo de esperanza e abrigado
    de inmensa cuita e visto de aspereza,
    la mi vida me fuye, mal mi grado,
    e muerte me persigue sin pereza.
    Nin son bastantes a satisfacer
10 la sed ardiente de mi gran deseo
    Tajo al presente, nin me socorrer
    la enferma Guadiana, nin lo creo:
    sólo Guadalquivir tiene poder
    de me guarir e sólo aquél deseo.

6. AH: cuita e visto de aspereza]cuyda e visto aspereza.- 7.
AH: la mi vida]la vida.- 8. M: e muerte]muerte.- 10. M: de
mi]do mí.- 13. R: Guadalquivir]Huadalquivir; AH:]es Betis
quien.- 14. Herrera: guarir]sanar.

* Este soneto de "opósitos" lo insertó Herrera en sus Anotaciones
a Garcilaso (p. 80). Luego lo copió Luzán en su Retórica (Za-
ragoza [1737], p. 81). Recogemos las variantes del primero.

-XIII-

(Amad. XIX, Vegué XX)
MSS.: M, R, AH

Soneto

1   Doradas ondas del famoso río
    que baña en torno la noble ciudad,
    do es aquella, cuyo más que mío
    soy e posee la mi voluntad:
5   pues que en el vuestro lago e poderío
    es la mi barca veloce, cuitad
    con todas fuerzas e curso radío
    e presentadme a la su beldad.
    Non vos impida duda nin temor
10 de daño mío, ca yo non lo espero;
    e si viniere, venga toda suerte.
    E si muriere, muera por su amor:
    murió Leandro en el mar por Hero;
    partido es dulce al aflicto muerte.

1. AH: ondas] fondas.- 4. AH: soy e posee] soy posee.- 7. M:
e curso] curso.

-XIV-

(Amad. XX, Vegué XXI)
MSS.: M, R

Otro soneto del Marques

1   En el prospéro tiempo las sirenas
plañen e lloran, recelando el mal:
en el adverso, ledas cantilenas
cantan, e atienden al buen temporal;
5   mas, ¿qué será de mí que las mis penas,
cuitas, trabajos e langor mortal
jamás alternan nin son punto ajenas,
sea destino o curso fatal?
Mas emprentadas el ánimo mío
10   las tiene, como piedra la figura,
fixas, estables, sin algún reposo.
El cuerdo acuerda, mas non el sandío;
la muerte veo, e non me doy cura:
tal es la llaga del dardo amoroso.

8.   M: sea   destino] ser   destino.-   9.   M:
emprentadas] enplentadas.

−XV−

(Amad. XXI, Vegué XXIII)
MSS.: M, R

Otro

1   Traen los cazadores al marfil
    a padecer la muerte enamorado,
    con bulto e con aspecto femenil,
    claro e fermoso, compuesto e ornado.
5   Pues si el ingenio humano es más sutil
    que otro alguno, ¿seré yo culpado
    si moriré por vos, dona gentil,
    non digo á fortiori, mas de grado?
    Serán algunos, si me culparán,
10 que nunca vieron la vuestra figura,
    angélico viso e forma excelente:
    nin sintieron amor, nin amarán,
    nin los poderes de la fermosura
    e mando universal en toda gente.

8.   M: á fortiori] á forciori.

-XVI-

(Amad. XXII, Vegué XXIV)
MSS.: R, M

Otro

1   Si el pelo por ventura voy trocando,
    non el ánimo mío, nin se crea;
    nin puede ser, nin será fasta cuando
    integralmente muerte me posea.
5   Yo me vos di, e non punto dudando
    vos me prendistes, e soy vuestra prea:
    absoluto es a mí vuestro gran mando,
    cuando vos veo o que non vos vea.
    Bien merecedes vos ser mucho amada;
10 mas yo non penas, por vos ser leal,
    cuantas padezco desde la jornada
    que me feristes de golpe mortal.
    Sed el oliva, pues fuestes la espada;
    sed el bien mío, pues fuestes mi mal.

9.   M: vos ser] ser vos.- 13.+14.   M: fuestes] fustes.

-XVII-

(Amad. XXIII; Vegué XXV)
MSS.: M, R

Otro

1   Alégrome de ver aquella tierra
non menos la ciudad e la morada,
sean planicies o campos o sierra,
donde vos vi yo la primer jornada.
5   Mas luego vuelvo e aquesto me atierra,
pensando cuánto es infortunada
mi triste vida, porque la mi guerra
non fue de paso, mas es de morada.
¿Fue visto bello, oh lid[e] tan mortal,
10   do non se viesen paces o sufrencia?
¿Nin adversario tanto capital,
que non fuese pungido de conciencia
sinon vos sola sin par nin igual,
do yo non fallo punto de clemencia?

4. M: primer]primera.

-XVIII-

(Amad. XXIV; Vegué XXVI)
MSS.: M, R

Otro

1   Non de otra guisa el índico serpiente
    teme la encantación de los egipcios
    que vos temedes, señora excelente,
    cualquiera relación de mis servicios.
5   Porque sabedes, presente o ausente,
    mis pensamientos e mis exercicios
    son loarvos e amarvos solamente,
    pospuesta cura de todos oficios.
    Oídme agora, después condenadme,
10 sinon me fallar[e]des más leal
    que los leales: e si tal, sacadme
    de tan gran pena, e sentid mi mal:
    e si lo denegades, acabadme:
    peor es guerra que non lid campal.

6. M: e mis]o mis.- 8. M: pospuesta]pues puesta.

-XIX-

(Amad. XXV; Vegué XXVII)
MSS.: M, R

Otro

1   Si la vida viviese de Noé
    e si de la vejez todas señales
    concurriesen en mí, non cesaré
    de vos servir, leal más que leales.
5   Ca partirme de vos o de la fe,
    ambas dos cosas juzgo ser iguales:
    por vuestro vivo, por vuestro morré:
    vuestro soy todo e míos [son] mis males.
    La saturnina pereza acabado
10   habría [ya] su curso tardinoso,
    o las dos partes de la su jornada
    desque vos amo; e si soy amado,
    vos lo sabedes, después [d]el reposo
    de mi triste yacija congoxada.

-XX-

(Amad. XXVI; Vegué XXVIII)
MSS.: M, R

Otro

1   Cuénta[se] que esforzaba Timoteo
     a los extrenuos e magnos varones,
     e los movía con viril deseo,
     con agros sones e fieras canciones
5   a la batalla: e del mesmo leo
     los retornaba con modulaciones
     e dulce carmen de aquel tal meneo,
     e reposaba los sus corazones:
     así el ánimo mío se altivece,
10   se jacta e loa, porque vos amó,
     cuando yo veo tanta fermosura.
     Mas luego pronto e presto se entristece
     e se maldice porque lo asayó,
     vista vuestra crüeza cuánto dura.

. M, R: cuéntase]cuentan que.- 2.   M: extrenuos]externuos.-
. R: e del]del;   M: leo]león.- 9.   M: fermosura]formosura.-
1. R: cuando]cuanto.

-XXI-

(Amad. XXVII; Vegué XXIX)
MSS.: M, R

Otro

1   [Si] buscan los enfermos santŭarios
     con gran deseo e sedienta cura
     por luengas vías e caminos varios,
     temiendo el manto de la sepultura;
5   ¿Son, si pensades, menores contrarios
     los venereós fuegos sin mesura,
     nin los mis males menos adversarios
     que la tisera de Atropos oscura?
     Pues, ¿quién podría o puede quïetar
10   mis grandes cuitas, mis penas, mis males,
     sean por partes o siquiera en gros?
     Nin Esculapio podría curar
     los mis langores, ¡tantos son e tales!
     nin otro alguno, sinon Dios e vos.

10. R: grandes]graves.- 11. M: partes]parte.

-XXII-

(Amad. XXVIII; Vegué XXXVII)
MSS.: M

Otro

```
 1    Divinativos fueron los varones
      de Galilea, cuando los dexó
      nuestro Maestro; mas sus corazones
      non se turbaron punto más que yo,
 5    por mí sabidas vuestras estaciones,
      vuestro camino, el cual me mató;
      e así non causan las mis aflicciones,
      aunque si vuestro era, vuestro so.
      Faced agora como comedida;
10    non me matedes: mostradvos piadosa:
      faced agora como fizo Dios:
      e consoladme con vuestra venida:
      cierto faredes obra virtüosa,
      si me valedes con vuestro socós.
```

1. M: divinativos]adivinativos.- 10. M: mostrad vos]mostráos.

-XXIII-

(Amad. X; Vegué X)
MSS.: M, R, I, PA, PE, PH

Soneto del Marqués porque le parecía dilatarse algunos fechos que
andaban en este reino, en especial por la parte suya.

En este décimo soneto, el autor, enojado de la tardanza que los
de la parte suya facían de acometer a la otra, en estos delitos
de Castilla, dice que fiera Castino con la lanza aguda en la otra
parte, porque mueva las gentes a batalla. E este Castino fue
aquél que primeramente firió en las gentes de Pompeyo, ca era de
la parte de César en la batalla de Umacia.

```
1    Fiera Castino con aguda lanza
     la temerosa gente pompeana:
     el cometiente las más veces gana;
     al victorioso nuce la tardanza.
5    Razón nos mueve, e cierta esperanza
     es el alferce de nuestra bandera,
     e justicia patrona e delantera;
     e nos conduce con gran ordenanza.
     Recuérdevos la vida que vivides,
10   la cual yo llamo imagen de muerte,
     e tantas menguas sean vos delante:
     pensad las causas por qué las sufrides;
     ca en vuestra espada es la buena suerte
     e los honores del carro triunfante.
```

1. PA: Castino]catmo (?); PE:]cascuno.- 4. I:
victorioso]virtuoso.- 5. M: e cierta]a cierta; PA, PE:]e
tarda.- 6. I: alferce]alferes; PA, PE:]él es alférez.- 7.
M: e justicia]justicia.- 8. I: e nos]e vos.- 13. M:
buena]buen.

-XXIV-

(Amad. XVII; Vegué XVII)
MSS.: M, R, I, PA, PE, PH, ΛH

Otro soneto que el Marqués fizo a algunos que le parecía que fablaban mucho e non facían tanto.

En este diez e sétimo soneto, el autor se quexa de algunos que en estos fechos de Castilla fablaban mucho e facían poco como en muchas partes contece; e toca aquí de algunos romanos, nobles hombres que ficieron grandes fechos; e muestra que non los facían solamente con palabras.

```
 1    Non en palabras ánimos gentiles,
      non en menazas nin semblantes fieros
      se muestran altos, fuertes e viriles,
      bravos, audaces, duros, temederos.
 5    Sean sus actos non punto civiles,
      mas virtüosos e de caballeros;
      e dexemos las armas femeniles,
      abominables a todos guerreros.
      Si los Scipiones e Decios lidiaron
10    por el bien de la patria, ciertamente
      non es en duda, maguer que callaron,
      o si Metelo se mostró valiente:
      pues loaremos los que bien obraron,
      e dexaremos el fablar nuciente.
```

1. M, R, AH: ánimos]los ánimos; PA:]los antigos.- PE:]los amigos.- 2. PA, PE, PH: menazas]amenazas; PA, PE, PH: semblantes]en semblantes.- 3. PA: muestran]muestraron.- 4. I: temederos]temedores. 5. M: sus actos]los sus actos; I, PA, AH:]los actos.- 6. M: e de]o de.- 9. I: si]así.- 11. PE: non es en]non es; I, PA, PE, PH, AH: callaron]fablaron.- 12. AH: Metelo]Mello; M: valiente]más valiente.

-XXV-

(Amad. XXIX; Vegué XVIII)
MSS.: M, R, AH

Otro soneto que el Marqués fizo quexándose de los daños de este
reino.

    1   Oy, ¿qué diré de tí, triste Hemisferio,
            oh patria mía, ca veo del todo
            ir todas cosas ultra el recto modo,
            donde se espera inmenso lacerio?
    5   ¡Tu gloria e laude tornó vituperio
            e la tu clara fama en escureza!
            Por cierto, España, muerta es tu nobleza,
            e tus loores tornados hacerio.
            ¿Do es la fe? ¿ Do es la caridad?
   10   ¿Do la esperanza? Ca por cierto ausentes
            son de las tus regiones e partidas.
            ¿Do es justicia, templanza, igualdad,
            prudencia e fortaleza? ¿ Son presentes?
            Por cierto non: que lexos son fúidas.

1. R: oy]oyd; AH: di.- 2. M: ca veo]que veo; AH:]cabto
(?).- 3. AH: ir todas]y a todas.- 4. M: donde]onde.- 8. AH:
loores]buhores; R: tornados]tornado; AH: hacerio]lacerio.-
12. R: templanza]temperanza; AH: igualdad]e igualdad.- 14.
AH: lexos son]son.

-XXVI-

(Amad. XXXII; Vegué XXXI)
MSS.: M, R

Otro soneto que el Marqués fizo, amonestando a los grandes príncipes a tornar sobre el daño de Constantinopla.

1   Forzó la fortaleza de Golías
       con los tres nombres juntos con el nombre
       del que se quiso por nos facer hombre,
       e de infinito mortal e Mexías,
5   el pastor, cuyo carmen todos días
       la Santa esposa non cesa cantando,
       e durará tan lexos fasta cuando
       será victoria a Enoc, [también] a Elías.
       Pues vos, los reyes, los emperadores,
10   cuantos el santo crisma recibistes,
       ¿sentides, por ventura, los clamores
       que de Bizancio por letras oístes?
       Enxemplo sea[n] a tantos señores
       las gestas de Sión, si las leístes.

8.   MSS.:   también a]e a.-

-XXVII-

(Amad. XV; Vegué XV)
MSS.: M, R, I, PA, PE, PH, AH

Otro soneto del mesmo Marqués por la mesma tardanza.

En este quincésimo soneto, el autor se quexa de la tardanza que
la parte suya facía en los debates de Castilla, e muestra asimesmo se deban guardar de los engaños, tocando como por enxemplo
de esto una historia de Virgilio.

```
 1    El tiempo es vuestro, e si de él usades
      como conviene, non se fará poco:
      non llamo sabio, mas a mi ver loco,
      quien lo impidiere; ca si lo mirades,
 5    los picos andan, pues si non velades,
      la tierra es muelle e la entrada presta:
      sentir la mina, que pro tiene o presta,
      nin ver el daño, si non reparades.
      Ca si bien miro, yo veo a Sinón,
10    magra la cara, desnudo e fambriento,
      e noto el modo de su narración,
      e veo a Ulixes, varón fraudulento:
      pues oíd e creed a Licaón,
      ca chica cifra desface gran cuento.
```

3. AH: llamo]fablo.- 6. PA, PE, PH: muelle]mueble.- 4. PE:
ca si]quasi.- 8. PA, PE: reparades]repartades.- 14. AH: ca
chica]canticha.

-XXVIII-

(Amad. XXX; Vegué XXII)
MSS.: M, R

Otro soneto del Marqués amonestando a los hombres a bien vivir.

1 ¡Non es a nos de limitar el año,
   el mes, nin la semana, nin el día,
   la hora, el punto! Sea tal engaño
   lexos de nos e fuiga toda vía.
5 Cuando menos dudamos nuestro daño
   la gran bailesa de nuestra bailía
   corta la tela del humanal paño:
   non suenan trompas, nin nos desafía.
   Pues non sirvamos a quien non debemos,
10 nin es servida con mil servidores:
   naturaleza, si bien lo entendemos,
   de poco es farta, nin procura honores:
   Jove se sirva e a Ceres dexemos;
   nin piense alguno servir dos señores.

7. M: corta]corto.- 13. R: se sirva]le sirva.

-XXIX-

(Amad. XXXIV; Vegué XXXIII)
MSS.: M, R

Otro soneto que el Marqués fizo al senor rey don Enrique, reinante.

```
 1    Porque el largo vivir nos es negado,
      ínclito rey, tales obras faced
      que vuestro nombre sea memorado:
      amad la fama e aquélla temed.
 5    Con bulto alegre, manso e reposado
      oíd a todos, librad e proveed:
      faced que hayades las gentes en grado;
      ca ninguno domina sin merced.
      Como quiera que sea, comendemos
10    estos dos actos vuestros por derecho;
      pues que el principio es cierto, e sabemos
      en todas cosas ser lo más del fecho:
      e refiriendo gracias, vos amemos;
      que es de los reyes glorioso pecho.
```

8. M: merced]merecer.- 14. R: que es de los]que es a los.

-XXX-

(Amad. XIII; Vegué XIII)
MSS.: M, R, I, PA, PE, PH, ΛH

Otro soneto que el Marqués fizo en loor del Rey de Aragón, quexándose porque los cronistas non escribieron de él según debieron.

En este trecésimo soneto, el autor llora e plañe, por cuanto se
cuida que, según los grandes fechos e gloriosa fama del Rey de
Aragón, non hay hoy poeta alguno, historial nin orador que de
ellos fable.

　1　　Calla la pluma e luce la espada
　　　　en vuestra mano, rey muy virtüoso;
　　　　vuestra excelencia non es memorada
　　　　e Caliópe fuelga e ha reposo.
　5　　Yo plango e lloro non ser comendada
　　　　vuestra eminencia e nombre [tan] famoso,
　　　　e redarguyo la mente pesada
　　　　de los vivientes, non poco enojoso;
　　　　¿por qué non cantan los vuestros loores
　10　　e fortaleza de memoria digna,
　　　　a quien se humillan los grandes señores,
　　　　a quien la Italia soberbia se inclina?
　　　　Dexen el carro los emperadores
　　　　a la vuestra virtud cuasi divina.

4. PE: e ha]e hane; PA:]e have.- 7. PA, PE, PH:
pesada]fatigada.- 14. M, AH: cuasi]casi.

-XXXI-

(Amad. XXXI; Vegué XXX)
MSS.: M, R

Otro soneto que el Marqués fizo al señor rey don Juan.

1   Venció Aníbál el conflicto de Canas
     e non dudaba Livio, si quisiera,
     que en pocos días o pocas semanas
     a Roma, con Italia, poseyera.
5   Por cierto al universo la manera
     plugo, e se goza en gran cantidad
     de vuestra tan bien fecha libertad,
     [d]onde la Astrea dominar espera.
     [Si] la gracia leemos sea dada
10   a muchos, e a pocos la persevranza,
     pues de los raros, sed vos, rey prudente.
     E non vos canse tan viril jornada;
     mas conseguidla, tolliendo tardanza
     cuanto es loable, bueno e diligente.

1. MSS.: el conflicto]al conflicto.- 10. MSS.: persevranza]perseveranza.

-XXXII-

(Amad. XXXIII; Vegué XXXII)
MSS.: M, R

Otro soneto que el Marqués fizo en loor de la ciudad de Sevilla
cuando él fue a ella en el año de cincuenta e cinco.

1   Roma en el mundo e vos en España
     sois solas ciüdades ciertamente,
     fermosa Hispalis, sola por fazaña,
     corona de [la] Bética excelente.
5   Noble por edificios, non me engaña
     vana apariencia, mas juzgo patente
     vuestra gran fama aún non ser tamaña,
     cuanto loable sois a quien lo siente.
     En vos concurre venerable clero,
10   sacras reliquias, santas religiones,
     el brazo militante caballero;
     claras estirpes, diversas naciones,
     fustas sin cuento; Hércules primero,
     Hispán e Julio son vuestros patrones.

3. M: fermosa]formosa.- 4. M: de la Bética]bética;   R:]de
Bética.- 8. R: cuanto]cuan.

-XXXIII-

(Amador XXXV; Vegué XXXVI)
MSS.: M, R

Otro soneto que el Marqués fizo en loor de Nuestra Señora.

1   Virginal templo do el Verbo divino
     vistió la forma de humanal librea,
     a quien anhela todo amor benigno,
     a quien contempla como a santa Idea:
5   si de fablar de tí yo non soy digno,
     la gracia del tu fijo me provea:
     indocto soy e laso peregrino;
     pero mi lengua loarte desea.
     ¿Fablaron por ventura Juan e Juan,
10   Jacobo [e] Pedro tan gran Teología,
     nin el asna pudiera de Balam,
     sin gracia suya, fablar, nin sabía?
     Pues el que puede, fable sin afán
     tus alabanzas en la lengua mía.

7. R: laso] caso.

-XXXIV-

(Amad. XXXVI; Vegué XXXV)
MSS.: M, R

Otro soneto que el Marqués fizo en loor de San Miguel Arcángel, a
suplicación de la vizcondesa de Torija, doña Isabel de Borbón.

1   Del celestial exército patrón
    e del segundo coro más precioso,
    de los ángeles malos damnación,
    Miguel Arcángel, duque glorïoso;
5   muy digno alférez del sacro pendón,
    invencible cruzado victorioso,
    tu debelaste al crüel dragón
    en virtud del excelso poderoso.
    Por todos estos premios te honramos
10   e veneramos, príncipe excelente;
    e [bien] por ellos mesmos te rogamos
    que ruegues al Señor omnipotente
    nos dignifique, por que poseamos
    la gloria, a todas glorias precedente.

5. M: del sacro]de sacro.

-XXXV-

(Amad. XXXVII; Vegué XXXIV)
MSS.: M, AH

Otro soneto que el Marqués fizo en loor de Santa Clara, virgen.

1   Clara por nombre, por obra e virtud
       luna de Asís, [e] fija de Hortulana,
       de santas donas enxemplo e salud,
       entre las veudas una e soberana:
5   principio de alto bien, en juventud
       perseverante, e fuente, [de] do mana
       pobreza humilde, e closo alamud,
       del seráfico sol muy digna hermana.
       Tu, virgen, triunfas del triunfo, triunfante
10   e glorïoso premio de la palma:
       así non yerra quien de ti se ampara
       e te cuenta del cuento dominante
       de los santos, oh santa sacra e alma;
       pues [hora] ora pro me, beata Clara.

1.   AH: nombre] lumbre.- M: en juventud] e juventud.

-XXXVI-

(Amad. XXXVIII; Vegué XXXVIII)
MSS.: M

Otro soneto que el Marqués fizo en loor de San Cristóbal.

<pre>
 1   Leño felice, que el gran poderío
      que todo el mundo non pudo ayuvar,
      en cuyo pomo iba el señorío
      de cielos, [t]ierras, arenas e mar:
 5   sin altercación e sin desvío,
      mas leda e gratamente sin dudar,
      en el tu cuello le pasaste el río,
      que non sin causa se debió [a]negar:
      jayán entre los santos admirable
10   por fuerza insigne e gran estatura,
      de quien yo fago conmemoración;
      faz, por tus ruegos, por el espantable
      paso yo pase en nave segura,
      libre del golfo de la damnación.
</pre>

1. M: felice]filece.- 4. M: tierras]sierras.- 6. M: leda]le
gran.

-XXXVII-

(Amad. XXXIX; Vegué XXXIX)
MSS.: M

Otro soneto que el Marqués fizo a San Bernaldino, fraire de los menores.

1   [Oh] ánima devota, que en el signo
    e santo nombre estás contemplando,
    e los sus rayos con viso aquilino
    solares miras fixo, non vagando:
5   serás perfecto e discípulo digno
    de [aquel] pobre seráfico; [e] guardando
    el orden suyo, ganaste el divino
    lugar eterno, do vives triunfando.
    Ningunas dignidades corrompieron
10   el fuerte muro de tu santidad:
    sábenlo Siena, Ferrara e Urbino.
    Nin las sus ricas mitras conmovieron
    las tus inopias, nin tu pobredad:
    por mí te ruego ruegues, Bernaldino.

6. M: de aquel] del.- 8. M: do vives] do vivis.

-XXXVIII-

(Amad. XL; Vegué XL)
MSS.: M

Otro soneto que el Marqués fizo a San Andrés.

1   Si ánima alguna tú sacas de pena
     por el festival don, es hoy la mía,
     pescador santo, uno de la cena
     de la divinal mesa e compañía.
5   Tú convertiste la flama egehena,
     en la cual grandes tiempos ha que ardía,
     en mansa calma, tranquila e serena,
     e mi grave langor en alegría.
     Pues me traíste, Señor, do yo vea
10   [a] aquélla que en niñez me conquistó,
     a quien adoro, sirvo e me guerrea,
     e las mis fuerzas del todo sobró;
     a quien deseo, e non me desea,
     a quien me mata, aunque suyo so.

9. M: traíste]traístes;   M: do yo]donde yo.- 10. M: a
aquélla]aquélla.

-XXXIX-

(Amad. XLI; Vegué XLI)
MSS.: M

Otro soneto que el Marqués fizo a San Vicente [Ferrer], de la
orden de los Predicadores.

```
 1    De sí mesma comienza la odenada
      caridad, e así vos, tercio Calixto,
      aquella santidad bien meritada
      por fray Vicente, discíplo de Cristo,
 5    quisistes que fuese confirmada
      por consistorio, según vos fue visto:
      gozóse España con esta jornada;
      que a Dios fue grato e al mundo bienquisto.
      Mas imploramos a vuestra clemencia,
10    si serán dignas nuestras santas preces,
      non se recusen; mas da[d]nos segundo,
      canonizado por vulgar sentencia,
      al confesor insignio Villacreces:
      muy glorïosa fue su vida al mundo.
```

3. M: discíplo] discípulo.- 11. M: dadnos] danos.- 13. M:
Villacreces] Villa treces.

-XL-

(Amad. XLII; Vegué XLII)
MSS.: M

Otro soneto que el Marqués fizo de suplicación al   Angel   Guarda-
dor.

1   De la superna corte curïal,
       e sacro socio de la jerarquía,
       que de la diva morada eternal
       fuste enviado por custodia mía:
5   gracias te fago, mi guarda especial,
       ca me guardaste fasta en este día
       de las insidias del universal
       nuestro adversario, e fuste [la] mi guía:
       e así te ruego, Angel, hayas cura
10   del curso de mi vida e brevedad:
       e[lla] con diligencia te apresura,
       ca mucho es débil mi fragilidad:
       honesta vida e muerte me procura,
       e al fin con los justos santidad.

11.   M: ella con]e con.

-XLI-

(Amad. II; Vegué II)
MSS.: M, R, I, PA, PE, PH

Soneto del Marqués a la señora reina Doña María, por la muerte del infante Don Pedro.

En este segundo soneto, el autor fabla como en nombre de la señora reina de Castilla, la cual, por cuanto, cuando el infante Don Pedro murió, el cual era su hermano, el señor rey, su marido, non estaba bien con sus primos, conviene a saber: el rey de Aragón, el rey de Navarra, los infantes sus hermanos, non embargante la triste nueva de la muerte del ya dicho señor infante Don Pedro, le llegase, non osaba así mostrar enojo por non descomplacer al señor rey, su marido. E aquí toca ella una historia antigua de nuestro reino, conviene a saber, del rey Don Sancho que murió sobre Zamora, e de Doña Urraca Fernando, la cual, por cuanto es muy común de todas gentes, mayormente de los reinos comarcanos, déxolo de tocar.


```
 1      Lloró la hermana, maguer que enemiga,
        al rey don Sancho, e con gran sentido
        procedió presto contra el mal Bellido,
        servando en acto la fraternal liga.
 5      ¡Oh dulce hermano! Pues que tanto amiga
        jamás te fui, ¿cómo podré celar
        de te llorar, plañir e lamentar
        por bien que el seso contraste e desdiga?
        ¡Oh real casa, tanto perseguida
10      de la mala fortuna, e molestada!
        Non pienso Juno que más encendida
        fue contra Tebas, nin tanto indignada.
        ¡Atropos! Muerte me place, e non vida
        si tal ventura ya non es cansada.
```


5. M, R, I, PA, PE: pues que]pues yo que; PH:]pues que yo que.- 6. MSS.: fui]fue.- 7. I: plañir]e plañir.- 8. MSS.: seso (sic).- 11. I: pienso]penso; PA:]piense.

-XLII-

(Amad. V; Vegué V)
M, R, I, PA, PE, PH

Soneto del Marqués al infante Don Enrique cuando murió la infanta
Doña Catalina, su mujer.

En este quinto soneto, el autor fabla en nombre del infante Don
Enrique, e muestra cómo se quexa por la muerte de la señora infanta, su mujer, e dice que non solamente al cielo e perdurable
gloria la quisiera conseguir, donde él se cuida e ha por dicho
ella iba, según la vida e obras suyas, mas aún al infierno e maligno centro si por ventura dado le fuese, ferirse él mesmo e
darse la muerte por golpe de fierro, o en otra cualquiera manera.

1   Non solamente al templo divino,
     donde yo creo seas receptada,
     según tu santo ánimo [e] benigno,
     preclara infant[a], mujer mucho amada;
5   mas al abismo e centro maligno
     te seguiría, si fuese otorgada
     a caballero, por golpe ferrino,
     cortar la tela por Cloto filada.
     Non lloren [la] tu muerte, maguer sea
10   en edad tierna, e tiempo triunfante;
     mas la mi triste vida, que desea
     ir donde fueres, como fiel amante,
     e conseguirte, dulce mía Idea,
     e mi dolor acerbo e incesante.

2. PA, PE: receptada]aceptada.- 3. M, R: santo ánimo]ánimo
santo.- 4. MSS.: infante.- 5. M, R: e centro]o centro.- 6.
PA, PE, PH: si fuese]si fues.- 9. M, R, PA, PE: non lloren]así
non lloren; I:]así como llore.- 10. R, I, PA, PE, PH:
tierna]nueva.- 12. PA: fueres]fueras; PA, PE: fiel]leal.- 14.
I, PA, PE, PH: e incesante]incesante.

III

EL VOCABULARIO Y SU FRECUENCIA

*

A.   FRECUENCIAS EN LOS 20 SONETOS AMOROSOS

(Número total de términos: 1742)

<u>Más de 100 veces</u>:

e (102) (5.85% /3.94%).

<u>Más de 50 veces</u>:

de (74) (4.25% /3.71%);   la (ar.) (62) (3.56% /2.32%).

<u>Más de 20 veces</u>:

me (40) (2.29% /1.61%);   non (33) (1.89% /1.37%);   el (31) (1.78%
/2.84%);   nin (29) (1.66% /0.52%);   que (c.) (28) (1.60% /1.67%);
en (22) (1.26% /2.47%);   mi (a.) (22) (/1.37%);   vos (21)   (1.20%
/0.28%);   que (p.) (20) (1.14% /0.28%).

<u>Más de 10 veces</u>:

con (19) (1.09% /1.04%);   es (v.) (18) (1.03% /0.67%);   a (15)
(0.86% /1.40%);   yo (14) (0.88% /0.45%);   su (13) (0.74% /0.88%);
se (p.) (13) (/0.81%);   o (13) (/0.33%);   si (c.)   (12)   (0.68%
/0.77%);   por (12) (/0.91%);   mas (c.) (12) (/0.37%);   amor (11)
(0.63% /0.70%);   los (ar.) (11) (/0.77%);   gran(de)   (10)   (0.57%
/0.17%).

<u>Más de 5 veces</u>:

cuando (9) (0.51% /0.28%);   mío (9) (/0.09%);   mis (9)   (/0.47%);
pues (9)   (/0.25%);   vuestra   (9)   (/0.10%);   del   (8)   (0.45%
/0.96%);   punto (8) (/0.04%);   reposo   (8)   (/0.04%);   ser   (8)
(/0.26%);   soy (8) (/0.10%);   tal (8) (/0.22%);   ánimo (7) (0.40%
/0.04%);   más (7) (/0.58%);   pena (s.)   (7)   (/0.08%);   así   (6)
(0.34% /0.21%);   ca (6) (/0.03%);   cual (6) (/0.17%);   las (ar.)
(6) (/0.57%);   mortal (6) (/0.07%);   sea (6) (/0.04%);   veo   (6)
(/0.09%);   al (5) (0.28% /0.72%);   amoroso (5) (/0.07%);   fue (5)
(/0.18%);   gentil (5) (/0.03%);   jamás (5) (/0.05%);   lo (p.) (5)
(/0.18%);   muerte   (5)   (/0.15%);   sin   (5)   (/0.35%);   tanta (5)
(/0.09%);   toda (5) (/0.06%);   ventura (5) (/0.06%).

<u>Más de 2 veces</u>:

belleza (4) (0.22% /0.07%); curso (4) (/0.06%); do (4)
(/0.18%); dulce (4) (/0.16%); fallo (4) (/0.04%); face (faz)
(4) (/0.07%); fermosura (4) (/0.08%); mal (s.) (4) (/0.35%);
mando (s.) (4) (/0.02%) mía (4) (/0.14%); porque (4) (/0.15%);
son (v.) (4) (/0.09%); sus (4) (/0.23%); tan (4) (/0.49%);
aquél (3) (0.17% /0.14%); aquella (a.) (3) (/0.08%); crueza (3)
(/0.01%); cuyo (3) (/0.03%); deseo (s.) (3) (/0.05%); divina
(3) (/0.03%); forma (3) (/0.01%); imagen (3) (/0.03%); jornada
(3) (/0.02%); langor (3) (/0.01%); leal (3) (/0.01%); lengua
(3) (/0.02%); los (p.) (3) (/0.06%); luego (3) (/0.12%); mi
(3) (/0.26%); oh (3) (/0.15%); pereza (3) (/0.01%); porfía (3)
(/0.05%); quien (3) (/0.31%); será (3) (/0.07%); sólo (3)
(/0.21%); te (3) (/0.30%); triste (3) (/0.14%); tu (3)
(/0.40%); vieron (3) (/0.03%); visto (3) (/0.03%); vivo (v.)
(3) (/0.04%); voluntad (3) (/0.04%); vuestro (p.) (3) (/0.01%);
ya (3) (/0.43%).

Se presentan 2 (0.11%) veces:

aflicto (/0.01%); alegre (/0.05%); aquel (a.) (/0.10%); aquélla (p.) (/0.02%); aspecto (/0.01%); atarde (/0.01%); beldad
(/0.07%); benigna (/0.01%); bien (s.) (/0.20%); bien (ad.)
(/0.10%); buen (/0.01%); buena (/0.01%); cautividad (/0.01%);
ciudad (/0.02%); claro (/0.08%); claror (/0.01%); como
(/0.35%); cuanto (/0.15%); cura (/0.02%); daño (/0.08%);
dardo (/0.01%); deal (/0.01%); después (/0.06%); destruye
(/0.01%); di (dar) (/0.01%); dolor (/0.18%); dona (/0.01%);
donde (/0.11%); dos (/0.03%); ella (/0.11%); esguarde
(/0.01%); excelente (/0.01%); falla (/0.01%); ferida (/0.02%);
figura (/0.02%); fizo (/0.01%); flama (/0.09%); fuego
(/0.18%); fuerzas (/0.01%); fuestes (/0.02%); gasta (/0.01%);
gente (/0.03%); grado (/0.02%); guerra (/0.06%); he (/0.17%);
igual (/0.02%); indigno (/0.01%); leales (/0.01%); lexos
(/0.01%); lid(e) (/0.01%); llaga (s.) (/0.01%); loar (/0.01%);
loca (/0.01%); maguer (/0.01%); mal (a.) (/0.09%); manda
(/0.01%); mano (/0.07%); morada (/0.01%); mostraba (/0.01%);
mucho (/0.03%); muera (/0.01%); paces (/0.01%); penas
(/0.04%); pienses (/0.01%); placiente (/0.01%); poder
(/0.07%); presente (/0.07%); pronto (/0.01%); quexoso
(/0.01%); rueda (/0.01%); sabedes (/0.01%); sed (v.) (/0.01%);
señora (/0.06%); señoría (/0.01%); siento (/0.09%); sinon
(/0.07%); tanto (/0.24%); temedes (/0.01%); temor (/0.07%);
templo (/0.03%); ti (/0.07%); tiempo (/0.10%); tiene (/0.09%);
todas (/0.02%); torno (s.) (/0.01%); vi (/0.06%); vista
(part.) (/0.02%); viva (v.) (/0.02%); vuestro (a.) (/0.11%).

Solo se presentan 1 (/0.05%) vez:

abastado (/0.005%); abrigado (/0.01%); absoluto (/0.005%);
acabad (/0.01%); acabado (/0.005%); acorde (/0.005%); acuerda
(/0.005%); adorada (/0.005%); adverso (/0.005%); adversario
(/0.005%); aflato (/0.005%); agora (/0.01%); agros (/0.005%);
agua (/0.07%); ajenas (/0.005%); alcanzo (/0.005%); alegro
(/0.005%); algún (/0.03%); alguno (/0.005%); algunos
(/0.005%); alivio (/0.005%); alternan (/0.01%); altivece

(/0.005%); amada (/0.01%); amado (/0.03%); amar (/0.07);
amarán (/0.005%); ambas (/0.01%); amo (/0.005%); amó (/0.01%);
andar (/0.02%); angélico (/0.005%); antes (/0.05%); apartar
(/0.02%); après (/0.005%); aquél (p.) (/0.03%); aquesto
(/0.005%); Aquila (/0.005%); Arabia (/0.005%); arbitrio
(/0.005%); ardiendo (/0.02%); ardiente (/0.10%); ardor
(/0.07%); artillería (/0.005%); asayó (/0.005%); aspereza
(/0.01%); atienden (/0.005%); atierra (/0.005%); atormenta
(/0.005%); ausente (/0.05%); baña (/0.005%); barca (/0.005%);
bastantes (/0.005%); batalla (/0.005%); bello (/0.03%); blanda
(/0.01%); bueno (/0.01%); bulto (/0.005%); cabellos (/0.02%);
callando (/0.005%); campal (/0.005%); campos (/0.02%); canciones (/0.005%); cansado (/0.02%); cantan (/0.005%); cantilenas (/0.005%); capital (/0.01%); cárcel (/0.01%); carmen
(/0.005%); cautiva (/0.005%); cazadores (/0.005%); celeste
(/0.01%); cerca (/0.02%); cercana (/0.005%); cesa (/0.01%);
cesan (/0.005%); cesaré (/0.005%); cielo (/0.27); ciencia
(/0.005%); ciertamente (/0.005%); cierto (/0.04%); clavellina
(/0.005%); clemencia (/0.005%); combates (/0.005%); combate
(/0.005%); compuesto (/0.005%); conciencia (/0.005%); concu-
rriesen (/0.005%); condenad (/0.005%); congoxa (/0.02%); congoxada (/0.005%); congoxoso (/0.01%); conozco (/0.01%); consume (/0.01%); contenga (/0.005%); contento (/0.08%); continente (/0.005%); contra (/0.05%); corazones (/0.01%); cordura
(/0.005%); coro (/0.04%); corporéa (/0.005%); cosas (/0.01%);
crea (creer) (/0.01%); creo (creer) (/0.03%); criatura
(/0.01%); crueles (/0.01%); cualquiera (/0.02%); cualque
(/0.005%); cuantas (/0.01%); ouasi (/0.005%); cuenta (v.)
(/0.01%); cuerdo (/0.01%); cuidado (/0.13); cuido (/0.005%);
cuita (/0.005%); cuitad (/0.005%); cuitas (/0.005%); culpado
(/0.005%); culparán (/0.005%); cuya (/0.03%); da (/0.04%);
Damne (/0.005%); David (/0.01%); deesa (/0.005%); defensar
(/0.005%); defenso (/0.005%); delante (/0.02%); demostrar
(/0.005%); demostraron (/0.005%); denegades (/0.005%); desde
(/0.01%); deseo (/0.01%); desnudo (/0.02%); despertad
(/0.005%); despliega (/0.005%); desque (/0.005%); destino
(/0.005%); destreza (/0.005%); deudo (/0.005%); di (decir)
(/0.005%); día (/0.14%); Dido (/0.01%); digno (/0.005%); digo
(/0.02%); dio (/0.02%); dirás (/0.005%); diré (/0.01%); diría
(/0.005%); dirruyendo (/0.005%); disminuye (/0.005%); divino
(/0.04%); dolencia (/0.005%); doler (/0.005%); doloroso
(/0.005%); doradas (/0.005%); doy (/0.02%); duda (s.)
(/0.02%); dudando (/0.005%); dura (a.) (/0.05%); dura (v.)
(/0.03%); egipcios (/0.005%); eminente (/0.005%); emprentada
(/0.005%); emprentadas (/0.005%); enamorada (/0.005%); enamorado (/0.02%); encadena (/0.005%); encantación (/0.005%); enferma (/0.01%); entendimiento (/0.02%); entiendo (/0.01%);
entrañas (/0.01%); entristece (/0.005%); eran (/0.005%); escriba (/0.01%); esforzaba (/0.005%); espada (/0.03%); esperanza (/0.08%); esperar (/0.03%); espero (/0.05%); está
(/0.12%); estables (/0.005%); estrella (/0.02%); estupaza
(/0.005%); exercicios (/0.005%); explana (/0.005%); extrenuos
(/0.005%); fablar (/0.005%); facen (/0.01%); fallaredes
(/0.005%); fallido (/0.005%); falsos (/0.005%); famosa
(/0.01%); famoso (/0.01%); farás (/0.005%); faremos (/0.005%);
fasta (/0.05%); fatal (/0.01%); fatigada (/0.005%); faz (v.)
(/0.005%); fe (/0.06%); Febo (/0.01%); Fedra (/0.005%); fe-

menil (/0.005%); feristes (/0.005%); fermosas (/0.01%); fermoso (/0.02%); fermosos (/0.02%); feroz (/0.005%); fervencia (/0.005%); fiebre (/0.005%); fiel (/0.005%); fieras (a.) (/0.005%); fija (hija) (/0.005%); filos (/0.005%); fixas (a.) (/0.005%); fixo (a.) (/0.01%); flor (/0.02%); Florencia (/0.005%); flores (/0.06%); folgura (/0.005%); formaron (/0.005%); fortiori (/0.005%); Fotino (/0.005%); frescos (/0.005%); fuelgo (/0.005%); fuerza (/0.10%); fuese (/0.02%); fuiste (/0.01%); fulgente (/0.005%); furor (/0.02%); fuya (/0.01%); fuye (/0.01%); gema (/0.005%); geno (/0.005%); gentes (/0.03%); gentileza (/0.005%); golpe (/0.02%); gozo (s.) (/0.005%); grato (/0.01%); grave (/0.07%); graveza (/0.005%); Guadalquivir (/0.005%); Guadiana (/0.005%); guarir (/0.005%); guisa (/0.005%); ha (/0.28%); habré (/0.005%); habría (/0.005%); han (/0.08); Helena (/0.005%); Hércules (/0.005%); Heretina (/0.005%); Hero (/0.01%); honesta (/0.005%); honesto (/0.01%); honor (/0.02%); honrados (/0.01%); hora (/0.07%); humana (/0.02%); humanal (/0.005%); humanidad (/0.005%); humano (/0.02%); ídola (/0.005%); iguales (/0.005%); impida (/0.005%); indebida (/0.005%); índico (/0.005%); indigna (/0.005%); ínfima (/0.005%); inflama (/0.01%); infortunada (/0.005%); ingenio (/0.02%); inmensa (/0.005%); inmenso (/0.005%); integralmente (/0.005%); inútil (/0.02%); jacta (/0.005%); jardines (/0.005%); jazmín (/0.005%); juzgo (pres.) (/0.005%); juzgues (/0.005%); lago (/0.01%); langores (/0.005%); las (p.) (/0.03%); Latona (/0.005%); Laurencia (/0.005%); Lavina (/0.005%); Leandro (/0.02%); ledas (/0.005%); ledo (/0.005%); leo (/0.01%); libertad (/0.05%); libre (/0.03%); ligados (/0.005%); ligan (/0.005%); llagó (/0.005%); lloran (/0.01%); lloró (v.) (/0.02%); loa (s.) (/0.005%); loo (/0.005%); loó (/0.005%); loor (/0.01%); luciente (/0.01%); luminosos (/0.005%); magnos (/0.005%); maldice (/0.005%); males (/0.05%); maligna (/0.005%); manso (/0.01%); mar (/0.15%); maravilla (/0.01%); marfil (/0.01%); mata (v.) (/0.01%); mate (s.) (/0.005%); meneo (/0.005%); mengua (/0.005%); menos (/0.05%); mente (/0.01%); merced (/0.01%); merecedes (/0.005%); mesmo (/0.06%); mesura (/0.005%); ministros (/0.005%); míos (/0.02%); mirar (/0.05%); modo (/0.01%); modulaciones (/0.005%); morir (/0.11%); moriré (/0.005%); morré (/0.005%); movia (/0.01%); muero (/0.04%); muestre (/0.005%); muriere (/0.005%); murió (/0.005%); naturaleza (/0.02%); nefanda (/0.005%); noble (/0.02%); noche (/0.09%); Noé (/0.005%); nuestro (/0.01%); nuevo (/0.05%); nunca (/0.13%); oculta (/0.005%); oficios (/0.005%); oíd (/0.01%); ojos (/0.31%); oliva (/0.005%); olvida (/0.005%); olvidar (/0.02%); ondas (/0.05%); ordenamiento (/0.005%); Oriente (/0.04%); ornaba (/0.005%); ornado (/0.005%); osa (v.) (/0.02%); osada (/0.01%); otra (/0.07); otro (/0.09%); Ovidio (/0.005%); padecer (/0.02%); padeciendo (/0.005%); padezco (/0.02%); par (/0.01%); parece (/0.04%); partes (/0.02%); partido (/0.005%); Partir (/0.01%); paso (v.) (/0.03%); paso (s.) (/0.08%); pecho (/0.11%); pelo (/0.01%); pena (v.) (/0.005%); Penea (/0.005%); pensamientos (/0.04%); pensando (/0.01%); peña (/0.005%); peor (/0.01%); perdimiento (/0.02%); peregrino (/0.01%); perfecta (/0.005%); perla (/0.005%); perno (/0.005%); pero (/0.11%); persigue (/0.01%); persona (/0.01%); pesada (/0.005%); piedra

(/0.02%); pienso (/0.02%); place (/0.005%); plañen (/0.005%); plango (/0.005%); planicies (/0.005%); pluma (/0.03%); pobre (/0.01%); poco (/0.07%); poderes (/0.005%); poderío (/0.005%); posea (/0.005%); posee (/0.005%); pospuesta (/0.005%); prea (/0.005%); prende (/0.005%); prendistes (/0.005%); presencia (/0.01%); presentad (/0.005%); presión (/0.005%); presto (/0.01%); primer (/0.01%); primero (/0.02%); prisionero (/0.005%); prisiones (/0.005%); priva (/0.01%); próspero (/0.01%); pudiesen (/0.005%); puede (/0.11%); pungido (/0.005%); pureza (/0.005%); quexo (/0.01%); quieres (/0.01%); radío (/0.005%); rayo (/0.07); razona (/0.005%); Rea (/0.005%); recelando (/0.005%); recontaré (/0.005%); refuye (/0.005%); regla (/0.01%); relación (/0.005%); remedio (/0.03%); reposaba (/0.005%); repruebas (/0.005%); resistir (/0.01%); resistencia (/0.01%); resplandor (/0.01%); retornaba (/0.005%); reza (/0.01%); rico (a.) (/0.02%); rije (/0.005%); rio (/0.04%); rodante (/0.005%); rotura (/0.005%); rubí (/0.005%); saber (/0.01%); sacad (/0.005%); Salomón (/0.005%); sandío (/0.005%); Sansón (/0.005%); satisfacer (/0.01%); saturnina (/0.005%); sean (/0.01%); sed (s.) (/0.005%); según (/0.04%); segunda (/0.01%); señal (/0.01%); señales (/0.02%); sentid (/0.005%); serán (/0.02%); seré (/0.005%); serpiente (/0.01%); servicio (/0.005%); servicios (/0.005%); servir (/0.005%); seso (/0.03%); sí (p.) (/0.06%); sierra (/0.005%); silla (/0.005%); sincera (/0.005%); sintieron (/0.005%); sirenas (/0.005%); sirviendo (/0.005%); sitio (/0.005%); so (pre.) (/0.01%); soberana (/0.01%); soberbia (/0.01%); sobran (/0.005%); socorrer (/0.01%); sojuzgó (/0.005%); sola (/0.04%); solamente (/0.02%); solemnizaban (/0.005%); sones (/0.005%); suerte (/0.04%); sufrencia (/0.005%); suspenso (/0.005%); suspiros (/0.02%); sutil (/0.01%); suya (/0.01%); suyo (/0.005%); Tabor (/0.005%); Tajo (/0.02%); tardinoso (/0.005%); társica (/0.005%); tema (/0.005%); teme (/0.02%); templos (/0.005%); temporal (/0.005%); Tereo (/0.005%); terrena (/0.005%); tierra (/0.06%); timbre (/0.005%); Timoteo (/0.005%); todo (/0.15%); todos (/0.05%); Tolomeo (/0.005%); torno (v.) (/0.005%); trabajos (/0.01%); traen (/0.01%); trasmuda (/0.005%); tristeza (/0.01%); tristes (/0.03%); tristura (/0.005%); troca (/0.005%); trocando (/0.005%); tura (/0.005%); un (/0.49%); una (/0.16%); universal (/0.01%); uno (/0.02%); va (/0.03%); valga (/0.005%); valía (/0.005%); varones (/0.01%); vaya (/0.005%); vea (/0.01%); vejez (/0.005%); veloce (/0.01%); venga (/0.005%); ver (/0.27%); verdad (/0.01%); verdor (/0.005%); vexaciones (/0.005%); viesen (/0.005%); vigor (/0.01%); viniere (/0.005%); Virginéa (/0.005%); viril (/0.005%); virtud (/0.01%); viso (/0.005%); vista (s.) (/0.07%); viva (a.) (/0.02%); viviese (/0.005%); voy (/0.07); vuelvo (/0.03%); vuestros (/0.005%); yacija (/0.005%).

*

B. FRECUENCIAS EN TODOS LOS 42 SONETOS

(Número total de términos: 3607)

Más de 100 veces:

e (203) (5.63%); de (130) (3.60%); la (ar.) (117) (3.21%).

Más de 50 veces:

el (70) (1.98%); non (70); me (55) (1.52%); en (50) (1.38%).

Más de 20 veces:

que (c.) (48) (1.33%); por (46) (1.27%); a (45) (1.24%); nin (45); es (v.) (38) (1.05%); los (ar.) (35) (0.97%); que (p.) (35); con (34) (0.94%); vos (33) (0.91%); si (32) (0.88%); mi (a.) (31) (0.85%); se (27) (0.74%); del (25) (0.69%); yo (23) (0.63%); mas (c.) (22) (0.61%); pues (21) (0.58%); gran(de) (20) (0.55%).

Más de 10 veces:

las (ar.) (18) (0.49%); o (18); vuestra (18); al (16) (0.44%); mis (16); quien (16); ca (15) (0.41%); su (15); te (15); sin (14) (0.38%); vida (13) (0.36%); amor (12) (0.33%); cuando (12); do (12); tu (a.) (12); so(y) (12); más (11) (0.30%); punto (11); sea (11); ser (11); así (10) (0.27%); lo (p.) (10); tal (10).

Más de 5 veces:

bien (ad.) (9) (0.24%); como (9); cual (9); fue (9); mía (9); mío (9); muerte (9); nos (9); reposo (9); son (v.) (9); tan (9); veo (9); bien (a.) (8) (0.22%); fue (8); oh (8); pena (s.) (8); sus (8); ventura (8); cierto (7) (0.19%); mortal (7); donde (6) (0.16%); dulce (6); jamás (6); toda (6); vuestro (p.) (6); amoroso (5) (0.13%); curso (5); cuyo (5); gentil (5); jornada (5); lengua (5); lexos (5); magüer (5); mí (p.) (5); nombre (5); porque (5); sean (5); tanta (5); tanto (5); ti (5); todas (5); todo (5); todos (5); triste (5); tus (5); vuestro (a.) (5).

Más de 2 veces:

aquella (a.) (4) (0.11%); aquélla (p.) (4); belleza (4); bien
(s.) (4); cuanto (4); cura (4); daño (4); deseo (s.) (4);
digno (4); divina (4); divino (4); dos (4); excelente (4);
fablar (4); faced (4); face (faz) (4); fallo (4); fermosura
(4); forma (s.) (4); imagen (4); langor (4); los (p.) (4);
mal (s.) (4); mando (s.) (4); mucho (4); mundo (4); muy (4);
nuestro (4); poco (4); rey (4); santo (4); será (4); templo
(4); tiempo (4); tú (4); virtud (4); visto (4); vuestros
(4); ya (4); agora (3) (0.08%); alegre (3); alguno (3);
aquel (a.) (3); buena (3); ciertamente (3); contra (3); cosas
(3); crueza (3); cuento (s.) (3); desea (3); día (3); Dios
(3); dolor (3); ella (3); espada (3); España (3); esperanza
(3); fama (3); fasta (3); fizo (3); flama (3); fuerzas (3);
fuese (3); gente (3); glorioso (3); gracia (3); grado (3);
grandes (3); ha (3); humanal (3); las (p.) (3); leal (3);
loar (3); luego (3); mal (a.) (3); males (3); mano (3); menos (3); modo (3); morada (3); oíd (3); paso (3); penas (3);
pereza (3); porfía (3); puede (3); santa (3); santas (3);
santidad (3); sed (v.) (3); según (3); señores (3); sinon
(3); solo (3); suyo (3); tiene (3); triunfante (3); ver (3);
vieron (3); vista (3); vivo (3); voluntad (3).

Se presentan 2 (0.055%) veces:

actos; adversario; aflicto; amada; ánima; Atropos; aspecto;
atarde; aunque; beldad; benigna; benigno; buen; bueno;
bulto; caballero; cantan; caridad; carmen; carro; cautividad; cesa; ciudad; clara; claro; claror; clemencia; corazones; coro; creo; cuasi; cuenta (v.); cuitas (s.); damna-
ción; dardo; deal; delante; deseo (v.); desnudo; después;
destruye; dexemos; di (dar); días; digna; diré; discíp(u)
lo; dona; duda (s.); emperadores; entre; enxemplo; esguarde; espera (v.); estos; fago; falla; famoso; fe; ferida;
fiel; figura; fija (hija); fixo (a.); fortaleza; fuego;
fuerza; fuestes; fuste; gasta; gentes; gloria; golpe;
gracias; grato; grave; guerra; he; Hércules; hermana; honesta; honores (s.); hora (s.); Idea; igual; indigno; inmenso; ir; Italia; Juan; justicia; juzgo; langores; leales; libertad; libre; lid(e); llaga (s.); llamo (v.); lloró
(v.); loable; loca; loores; manda; manso; mar; mata (v.);
mente; merced; mesura; mostraba; muera; naturaleza; noble;
nuestra; obra (s.); otro; paces; partes (s.); patria; pecho; peregrino; pero; pesada; pienses; pienso; place;
placiente; plango; pluma; pobre; pocos; poder; poderío;
podría; presente; presta; presto; primero; principio; pro;
procura; pronto; quexoso; reyes; río; Roma; rueda; ruego;
ruegues; sabedes; sacro; santos; segundo; señor; señora;
señoría; seráfico; serán; servir; siento; soberana; soberbia; sois; sola; solamente; suerte; suya; tales; tantos;
tardanza; tela; temedes; temor; tierra; torno (s.); universal; uno; varones; vea; vi; victorioso; viril; viso
(s.); viva (v.).

Solo se presentan 1 (0.02%) vez:

abastado; abismo; abominables; abrigado; absoluto; acabad;
acabado; acerbo; acorde; acto; acuerda; admirable; adorada;
adoro; adversarios; adverso; afán; aflato; aflicciones;
agros; agua; aguda; ajenas; alabanzas; alamud; alcanzo;
alegre; alegría; alferce; aférez; algún; alguna; algunos;
alivio; alma; altercación; alternan; altivece; alto; altos;
amad; amada; amado; amante; amar; amarán; ambas; amemos;
amiga; amo; amó (v.); amor; ampara; andan; andar; anegar;
Angel; ángeles; angélico; anhela; Aníbal; ánimos; antes;
año; apariencia; apartar; aprés; apresura; aquél (p.);
aquesto; Aquila; aquilino; Arabia; arbitrio; arcángel; ar-
día; ardiendo; ardiente; ardor; arenas; armas; artillería;
asayó; Asís; asna; aspereza; Astrea; atienden; atierra;
atormenta; audaces; aún; ausente; ausentes; ayuvar; bailesa; bailía; Balam; bandera; baña; barca; bastantes; batalla; beata; Bellido; bello; Bernaldino; Bética; bienquisto;
Bizancio; blanda; bravos; brazo; brevedad; buscan; caba-
lleros; cabellos; Calíope; Calixto; calla; callando; ca-
llaron; calma; camino; caminos; campal; campos; Canas;
canciones; canonizado; cansada; cansado; canse; cantando;
cantidad; cantilenas; capital; cara; cárcel; casa; Castino;
causa (s.); causas (s.); causas; cautiva (v.); cazadores;
celar; celeste; celestial; cena; centro; cerca; cercana;
Ceres; cesan; cesaré; chica; cielo; cielos; ciencia;
cierta; cifra (s.); Scipiones; ciudades; civiles; clamores;
Clara; claras; clavellina; clero; closo; Cloto; combate;
combates; comedida; comendada; comendemos; cometiente; co-
mienza; compañía; compuesto; conciencia; concurre; concu-
rriesen; condenad; conduce; confesor; confirmada; conflicto;
congoxa; congoxada; congoxoso; conmemoración; conmovieron;
contento; conozco; conquistó; conseguid; conseguir; consis-
torio; consolad; consume; contempla; contemplando; contenga;
continente; contrarios; contraste; convertiste; conviene;
cordura; corona; corpórea; corrompieron; corta (v.); cortar;
corte (s.); crea (creer); creed; criatura; crisma; Cristo;
cruel; crueles; cruzado; cualque; cualquiera; cuantas;
cuantos; cuello; cuerdo; cuidado; cuido; cuita; cuitad;
culpado; culparán; curar; curial; custodia; cuya; da; dad;
dada; Damne; David; debelaste; debemos; débil; debió;
Decios; deesa; defensar; defenso; delantera; demostrar;
demostraron; denegades; derecho; desafía; desde; desdiga;
desface; despertad; despliega; desque; destino; destreza;
desvío (s.); deudo; devota; dexaremos; dexen; dexó; di
(decir); Dido; dignas; dignidades; dignifique; digo; dili-
gencia; diligente; dio; dirás; diría; dirruyendo; disminuye; diva; diversas; divinal; divinativos; dolencia; doler;
doloroso; domina; dominante; dominar; don (dar); don ("Do-
minus"); donas; doradas; doy; dragón; dudaba; dudamos;
dudando; dudar; duque; dura (a.); dura (v.); durará; duros;
edad; edificios; egehena; egipcios; él; Elías; ellos;
eminencia; eminente; emprentada; emprentadas; enamorada;
enamorado; encadena; encantación; encendida; enemiga; enferma; enfermos; engaña; engaño; Enoc; enojoso; entendemos;
entendimiento; entiendo; entrada; entrañas; entristece; en-
viado; era (v.); eran; escriba (v.); Esculapio; escureza;
esforzaba; espantable; especial; esperar; espero; esposa;
está; esta (a.); estables; estaciones; estás; estatura;

este (a.); estirpes; estrella; estupaza; eternal; eterno;
excelencia; excelso; exercicios; exército; explana; extrenuos; fablaron; fable; facen; facer; fallaredes; fallido;
falsos; fambriento; famosa; fará; farás; faredes; faremos;
farta; fatal; fatigada; faz (imper.); fazaña; Febo; fecha
(part.); fecho (s.); Fedra; felice; femenil; femeniles;
feristes; fermosa; fermosas; fermoso; fermosos; feroz; Fe-
rrara; ferrino; fervencia; festival; fiebre; fiera (v.);
·fieras (a.); fieros; fijo (hijo); filada; filos; fin; fixas
(a.); flor; Florencia; flores; folgura; formaron; fortaleza; fortiori; fortuna; forzó; Fotino; fragilidad; frater-
nal; fraudulento; fray; frescos; fuegos;. fuelga; fuelgo;
fuente; fueres; fueron; fuerte; fuertes; fui; fuidas;
fuiga; fuiste; fulgente; furor; fustas; fuya; fuye; Galilea; gana (s.); ganaste; gema; geno; gentiles; gentileza;
gestas; glorias; gloriosa; golfo; Golías; goza; gozo (s.);
gozó; gratamente; graveza; gros; Guadalquivir; Guadiana;
guarda (s.); guardando; guardaste; guarir; guerrea; guerre-
ros; guía (s.); guisa; habré; habría; hacerio; han; haya-
des; hayas; Helena; Hemisferio; Heretina; hermano; Hero;
Hispalis; Hispán; hombre; honesto; honor; honoramos; honrados; hora ([a]hora); Hortulana; hoy; humana; humanidad;
humano; humilde; humillan; iba; ídola; igualdad; iguales;
impida; impidiere; imploramos; incesante; inclina; ínclito;
indebida; índico; indigna; indignada; indocto; infanta;
ínfima; infinito; inflama; infortunada; ingenio; inmensa;
inopias; insidias; insigne; insignio; integralmente; inútil;
invencible; Jacobo; jacta; jardines; jayán; jazmín; jerar-
quía; Jove; Julio; Juno; juntos; justos; juventud; juzgues; la (p.); lacerio; lago; lamentar; lanza; largo; laso; Latona; laude; Laurencia; Lavina; le; Leandro; leda;
ledas; ledo; leemos; leístes; leño; leo; letras; librad;
librea; Licaón; lidiaron; liga; ligados; ligan; limitar;
Livio; llagó; lloran; llorar; lloren; lloró; lo (ar.); loa
(s.); loaremos; loco; loo; loó; loor; luce; luciente;
luengas; lugar; luminosos; luna; Maestro; magnos; magra;
mala; maldice; maligna; maligno; malos (a.); mana (v.);
manera; mansa; manto; maravilla; marfil; mate (s.); mate-
des; mató; memorada; memorado; memoria; menazas; meneo;
mengua; menguas; menores; merecedes; meritada; mes; mesa;
mesma; mesmo; mesmos; Metelo; Mexías; Miguel; mil; mili-
tante; mina; ministros; míos; mirades; mirar; miras; miro;
mitras; modulaciones; molestada; morir; moriré; morré;
mostrad; mostró; movía; muchos; muelle; muero; muerta;
muestran; muestre; mueve; mujer; muriere; murió; muro;
naciones; narración; nave; nefanda; negado; ningunas; ninguno; niñez; nobleza; noche; Noé; nombres; noto; nuce;
nuciente; nuestras; nuevo; nunca; obraron; obras (s.);
oculta; oficios; oístes; ojos; oliva; olvida; olvidar;
omnípotente; ondas; ora; orden; ordenada; ordenamiento;
ordenanza; Oriente; ornaba; ornado; osa (v.); osada; oscura; otorgada; otra; Ovidio; oy(e); padecer; padeciendo;
padezco; palabras; palma; paño; par; parece; partidas (s.);
partido (s.); partir; pasaste; pase; pastor; patente; patrón; patrona; patrones; Pedro; pelo; pena (v.); pendón;
Penea; pensad; pensades; pensamientos; pensando; peña;
peor; perdimiento; perfecta; perfecto; perla; perno; per-

seguida; perseverante; persevranza; persigue; persona; pescador; piadosa; picos; piedra; piense; plañen; planicies; plañir; plugo; pobredad; pobreza; pocas; poderes; poderoso; podré; pomo; pompeana; posea; poseamos; posee; poseyera; pospuesta; prea; precedente; preces; precioso; preclara; premio; premios; prende; prendistes; presencia; presentad; presentes; presión; primer; príncipe; prisionero; prisiones; priva; procedió; próspero; provea; proveed; prudencia; prudente; pudiera; pudiesen; pudo; pungido; pureza; quexo; quiera; quieres; quietar; quisiera; quisistes; quiso; radío; raros; rayo; rayos; razón; razona; Rea; real; recelando; receptada; recibistes; recontaré; recto; recuerde; recusen; redarguyo; refiriendo; refuye; regiones; regla; relación; religiones; reliquias; remedio; reparades; reposaba; reposado; repruebas; resistencia; resistir; resplandor; retornaba; reza; ricas; rico; rije; rodante; rogamos; rotura; rubí; ruegos; sabemos; saben; saber; sabía; sabidas; sabio; sacad; sacas; sacra; sacras; Salomón; salud; Sancho; sandío; Sansón; santuarios; satisfacer; saturnina; seas; sed (s.); sedienta; seguiría; segunda; segura; semana; semanas; semblantes; sentencia; sentid; sentides; sentido; sentir; señal; señales; señorío; sepultura; serás; seré; serena; serpiente; servando; servicio; servicios; servida; servidores; seso; seso (sexo?); sí (p.); Siena; siente; sierra; signo; silla; sincera; Sinón; sintieron; Sión; siquiera; sirenas; sirva; sirvamos; sirviendo; sirvo; sitio; so (pr.); sobran; sobró; socio; socorrer; socós; sojuzgó; sol; solares; solas; solemnizaban; sones; suenan; sufrencia; sufrides; superna; suspenso; suspiros; sutil; Tabor; Tajo; tamaña; también; tantas; tardinoso; társica; Tebas; tema (v.); tema; temed; temederos; temerosa; temiendo; templanza; templos; temporal; Teología; tercio; Tereo; terrena; tiempos; tierna; tierras; timbre; Timoteo; tisera; tolliendo; Tolomeo; tornados; torno (v.); tornó; trabajos; traen; traíste; tranquila; trasmuda; tres; tristes; tristeza; tristura; triunfando; triunfas; triunfo; troca; trocando; trompas; tura; turbaron; Ulixes; ultra; una (a.); una (p.); un; universo; Urbino; usades; va; vagando; valedes; valga; valía (s.); valiente; vana; varios; varón; vaya; veces; vejez; velades; veloce; venció; venerable; veneramos; veneréos; venga; venida; verbo; verdad; verdor; veudas; vexaciones; vía; vías; Vicente; victoria; viesen; vigor; Villacreces; viniere; virgen; virginal; Virgínea; viriles; virtuosa; virtuoso; virtuosos; vistió; vituperio; viva (a.); vives; vivides; vivientes; viviese; vivir; voy; vuelvo; vuestras; vulgar; yacija; yerra.

*

C. LISTA POR TERMINACIONES

ca	osada	despliega
da	meritada	desdiga
ha	emprentada	liga
la	receptada	amiga
fará	molestada	enemiga
durará	congoxada	fuiga
será	leda	valga
está	rueda	fuelga
va	indebida	contenga
ya	comedida	venga
dudaba	encendida	fecha
ornaba	venida	sabía
retornaba	impida	día
mostraba	ferida	ardía
reposaba	perseguida	desafía
esforzaba	vida	porfía
iba	olvida	Teología
escriba	servida	valía
chica	nefanda	bailía
Bética	blanda	mía
tarsica	manda	compañía
nunca	segunda	habría
loca	toda	podría
troca	guarda	artillería
barca	acuerda	alegría
cerca	duda	diría
dada	aguda	seguiría
comendada	trasmuda	señoría
fatigada	idea	guía
otorgada	Galilea	jerarquía
filada	Penea	vía
amada	Rea	movía
confirmada	librea	Arabia
ordenada	crea	soberbia
indignada	prea	gracia
jornada	guerrea	justicia
infortunada	Astrea	prudencia
espada	sea	diligencia
adorada	desea	ciencia
morada	posea	conciencia
enamorada	vea	apariencia
memorada	provea	excelencia
entrada	corporéa	dolencia
pesada	Virginéa	clemencia
cansada	llaga	eminencia

sufrencia	mana	Fedra
Florencia	semana	piedra
Laurencia	hermana	era
presencia	humana	sincera
sentencia	soberana	bandera
resistencia	vana	pudiera
fervencia	cena	fiera
custodia	encadena	quisiera
Italia	egehena	quiera
gloria	Siena	siquiera
memoria	Helena	cualquiera
victoria	pena	manera
patria	serena	espera
yacija	terrena	tisera
fija	buena	delantera
mala	digna	muera
anhela	indigna	poseyera
tela	maligna	cifra
regla	benigna	magra
Aquila	inclina	ora
tranquila	clavellina	agora
calla	mina	hora
falla	domina	señora
batalla	saturnina	sierra
ella	Heretina	tierra
estrella	Lavina	atierra
aquella	divina	guerra
silla	dona	yerra
maravilla	corona	ultra
sola	patrona	contra
ídola	persona	otra
contempla	Latona	nuestra
perla	razona	vuestra
fama	tierna	cura
flama	superna	procura
inflama	asna	oscura
gema	una	dura
tema	alguna	cordura
ánima	luna	segura
ínfima	fortuna	figura
alma	baña	folgura
calma	engaña	mesura
palma	tamaña	apresura
Roma	España	fermosura
enferma	fazaña	tura
forma	peña	criatura
mesma	loa	estatura
crisma	cara	sepultura
pluma	Clara	ventura
cercana	clara	rotura
pompeana	preclara	tristura
gana	ampara	casa
Guadiana	Ferrara	cesa
explana	obra	deesa
Hortulana	sacra	bailesa

mesa	gentileza	lid
guisa	belleza	oíd
mansa	reza	sentid
inmensa	pobreza	conseguid
osa	pereza	David
piadosa	aspereza	salud
gloriosa	destreza	alamud
famosa	escureza	juventud
fermosa	pureza	virtud
esposa	tristeza	e
temerosa	crueza	de
virtuosa	graveza	fe
causa	tardanza	he
beata	lanza	le
mata	templanza	me
jacta	ordenanza	Noé
perfecta	esperanza	cesaré
cuita	persevranza	recontaré
oculta	comienza	habré
infanta	goza	podré
santa	fuerza	seré
tanta	Enoc	diré
sedienta	acabad	moriré
atormenta	sacad	morré
cuenta	dad	se
devota	edad	te
farta	pobredad	fue
cierta	brevedad	que
muerta	fragilidad	face
corta	humanidad	desface
fasta	caridad	place
gasta	cantidad	parece
esta	santidad	entristece
honesta	cautividad	altivece
presta	igualdad	maldice
pospuesta	beldad	felice
vista	verdad	dulce
agua	ciudad	veloce
lengua	consolad	alferce
mengua	amad	conduce
diva	condenad	luce
oliva	librad	nuce
priva	mostrad	puede
cautiva	pensad	lide
viva	cuitad	humilde
sirva	presentad	grande
congoxa	voluntad	prende
vaya	libertad	donde
cuya	despertad	atarde
fuya	faced	esguarde
suya	merced	recuerde
estupaza	creed	acorde
naturaleza	proveed	desde
fortaleza	temed	laude
nobleza	sed	posee

noche	nuciente	si
rije	ardiente	así
fable	valiente	tí
loable	serpiente	fui
venerable	oriente	vi
admirable	siente	fortiori
espantable	cometiente	cuasi
invencible	excelente	al
noble	mente	deal
muelle	solamente	leal
teme	gratamente	real
consume	ciertamente	especial
tiene	integralmente	curial
conviene	eminente	celestial
insigne	continente	mal
damne	presente	humanal
príncipe	ausente	virginal
golpe	patente	divinal
Calíope	omnipotente	fraternal
fiebre	fuente	eternal
libre	fuerte	señal
timbre	muerte	campal
hombre	suerte	temporal
nombre	corte	universal
pobre	guardaste	tal
impidiere	debelaste	fatal
viniere	ganaste	capital
muriere	contraste	mortal
alegre	pasaste	cual
concurre	este	igual
entre	celeste	festival
muestre	traíste	Aníbal
pase	triste	el
viviese	convertiste	del
fuese	fuiste	fiel
canse	fuste	Miguel
piense	persigue	aquel
combate	dignifique	cruel
mate	cualque	cárcel
rodante	aunque	ángel
triunfante	porque	arcángel
delante	desque	marfil
amante	duque	mil
dominante	nave	femenil
perseverante	grave	viril
incesante	mueve	gentil
militante	Jove	sutil
Vicente	fuye	débil
precedente	refuye	inútil
prudente	disminuye	sol
gente	destruye	Balam
diligente	oh	afán
fulgente	rubí	han
placiente	di	Hispán
luciente	mi	amarán

culparán	encantación	índico
serán	Sión	seráfico
gran	presión	angélico
tan	Salomón	rico
Juan	non	loco
jayán	Sinón	poco
solemnizaban	sinon	padezco
buscan	varón	conozco
andan	patrón	acabado
sean	son	cuidado
ligan	Sansón	negado
humillan	razón	abrigado
suenan	turbaron	enviado
alternan	lidiaron	amado
sobran	fablaron	ornado
eran	callaron	culpado
lloran	formaron	grado
muestran	obraron	enamorado
cesan	demostraron	memorado
causan	corrompieron	cansado
cantan	sintieron	reposado
en	vieron	abastado
bien	conmovieron	canonizado
también	fueron	cruzado
quien	un	ledo
buen	aún	Dido
traen	según	pungido
saben	algún	fallido
facen	o	Bellido
atienden	do	sentido
orden	sojuzgó	partido
imagen	debió	cuido
virgen	venció	trocando
carmen	dio	guardando
planen	procedió	dudando
lloren	murió	triunfando
pudiesen	vistió	vagando
concurriesen	lo	recelando
viesen	amó	callando
recusen	loó	contemplando
dexen	sobró	mando
fin	pro	pensando
jazmín	mostró	cantando
nin	so	cuando
sin	mató	servando
Licaón	conquistó	padeciendo
con	dexó	ardiendo
don	asayó	tolliendo
pendón	yo	temiendo
dragón	gozó	refiriendo
altercación	forzó	entiendo
relación	Febo	sirviendo
damnación	Jacobo	dirruyendo
conmemoración	acerbo	segundo
narración	verbo	mundo

modo	hacerio	año
todo	lacerio	daño
dardo	Hemisferio	engaño
cuerdo	vituperio	paño
deudo	consistorio	leño
desnudo	arbitrio	loo
pudo	sitio	tiempo
leo	Livio	claro
Tolomeo	alivio	sacro
meneo	Tajo	Pedro
creo	fijo	Leandro
Tereo	cielo	Hero
deseo	pelo	clero
Timoteo	Metelo	caballero
veo	fallo	primero
golfo	bello	prisionero
triunfo	cuello	pero
fago	solo	espero
lago	templo	próspero
llago	enxemplo	muero
fuego	discípulo	alegro
luego	amo	miro
ruego	llamo	coro
digo	ánimo	adoro
fuelgo	como	lloro
plango	pomo	carro
largo	mesmo	centro
plugo	abismo	otro
juzgo	mano	Maestro
fecho	hermano	nuestro
pecho	humano	vuestro
derecho	geno	muro
Sancho	bueno	laso
mucho	digno	paso
radío	indigno	seso
sandío	maligno	quiso
mío	benigno	viso
río	signo	excelso
poderío	Urbino	manso
señorío	Bernaldino	defenso
desvío	aquilino	pienso
sabio	camino	inmenso
servicio	peregrino	suspenso
Bizancio	ferrino	precioso
socio	Fotino	glorioso
tercio	Castino	victorioso
remedio	destino	enojoso
Ovidio	divino	closo
Julio	perno	famoso
premio	eterno	fermoso
ingenio	torno	tardinoso
insignio	uno	reposo
Esculapio	alguno	poderoso
principio	ninguno	doloroso
adversario	Juno	amoroso

virtuoso	suyo	pescador
quexoso	brazo	resplandor
congoxoso	fizo	ardor
adverso	alcanzó	verdor
universo	gozó	peor
curso	forzó	vigor
aflato	olvidar	langor
grato	andar	flor
acto	dudar	dolor
perfecto	anegar	amor
aspecto	vulgar	temor
recto	lugar	honor
aflicto	fablar	señor
conflicto	celar	loor
indocto	mar	por
exército	amar	claror
ínclito	dominar	furor
infinito	loar	confesor
alto	par	pastor
bulto	esperar	las
manto	mirar	mas
santo	llorar	jamás
tanto	demostrar	farás
cuanto	curar	serás
ordenamiento	defensar	dirás
entendimiento	quietar	Tebas
perdimiento	limitar	repruebas
fambriento	lamentar	ambas
siento	apartar	sacas
fraudulento	cortar	ricas
contento	ayuvar	pocas
cuento	saber	doradas
pronto	facer	emprentadas
punto	satisfacer	ledas
Cloto	padecer	sabidas
noto	poder	partidas
cierto	mujer	fuídas
honesto	doler	ondas
presto	primer	todas
compuesto	socorrer	veudas
aquesto	ser	seas
Cristo	maguer	triunfas
bienquisto	ver	luengas
visto	ir	días
absoluto	plañir	Elías
Calixto	guarir	Golías
nuevo	morir	vías
vivo	sentir	Mexías
vuelvo	partir	gracias
sirvo	resistir	insidias
quexo	conseguir	inopias
fixo	Guadalquivir	glorias
rayo	vivir	reliquias
cuyo	servir	solas
redarguyo	Tabor	armas

Canas	reparades	servidores
semanas	mirades	langores
entrañas	pensades	flores
ajenas	usades	clamores
cantilenas	hayades	menores
penas	sabedes	honores
arenas	merecedes	señores
sirenas	valedes	loores
dignas	temedes	pienses
donas	faredes	combates
ningunas	fallaredes	antes
trompas	matedes	semblantes
claras	sufrides	bastantes
palabras	sentides	gentes
obras	vivides	vivientes
sacras	grandes	presentes
fieras	planicies	ausentes
miras	leales	partes
tierras	males	fuertes
letras	señales	fuestes
mitras	tales	recibistes
nuestras	iguales	prendistes
vuestras	abominables	leístes
cosas	estables	oístes
fermosas	ángeles	feristes
diversas	crueles	tristes
causas	femeniles	quisistes
cuitas	viriles	ruegues
santas	gentiles	juzgues
tantas	civiles	vives
cuantas	Hércules	Ulixes
estas	jardines	reyes
gestas	modulaciones	mis
fustas	naciones	Asís
menguas	estaciones	sois
fixas	vexaciones	Hispalis
hayas	aflicciones	socós
menazas	canciones	dos
alabanzas	regiones	Dios
fuerzas	religiones	los
es	Scipiones	nos
mes	prisiones	gros
aprés	varones	vos
tres	patrones	picos
pues	sones	pocos
después	corazones	frescos
audaces	estirpes	ligados
paces	solares	tornados
Villacreces	nombres	honrados
preces	Ceres	todos
veces	poderes	veneréos
dignidades	quieres	fuegos
ciudades	fueres	ruegos
denegades	emperadores	muchos
velades	cazadores	míos

Decios	amemos	santos
exercicios	faremos	tantos
edificios	loaremos	cuantos
oficios	dexaremos	pensamientos
servicios	dexemos	juntos
egipcios	ánimos	estos
premios	enfermos	justos
contrarios	mesmos	extrenuos
adversarios	menos	bravos
santuarios	magnos	divinativos
varios	caminos	lexos
trabajos	algunos	rayos
ojos	campos	sus
malos	tiempos	tus
cielos	Atropos	su
filos	raros	tu
ellos	temederos	fray
cabellos	fieros	rey
templos	caballeros	oy
dudamos	guerreros	doy
poseamos	agros	hoy
rogamos	suspiros	soy
veneramos	vuestros	voy
imploramos	ministros	muy
honoramos	duros	faz
sirvamos	falsos	vejez
sabemos	fermosos	niñez
debemos	luminosos	alférez
comendemos	virtuosos	feroz
entendemos	actos	
leemos	altos	

*

IV

CONCORDANCIAS

*

A. CONCORDANCIA GENERAL

rescindimos en esta concordancia de los 42 sonetos del Marqués de los érminos con, de, del, e, el (ar.), es, la (ar.), las (ar.), los (ar.), , non y nin, extremadamente frecuentes y que, de haberse incluído, harían alargado desmesuradamente esta lista. Desarticulamos, por otra arte, las contracciones (salvo del y al) y las formas ortográficamente nidas, como, por ejemplo, gozóse y etc.

	II,3	cuando solemnizaban a Heretina
"	III,14	así que a defensar me fallo indigno.
"	IV,10	que a tí non place del mi perdimiento;
"	V,3	a demostrar la pena o la dolor,
"	VII,14	a cuyo esguarde e merced me di.
"	VIII,7	a aquélla a quien sus crueles prisiones
"	VIII,7	a aquélla a quien sus crueles prisiones
"	X,2	a cuyo mando me sojuzgó amor,
"	XII,8	nin son bastantes a satisfacer
"	XIII,8	e presentadme a la su beldad.
"	XV,2	a padecer la muerte enamorado,
"	XV,8	non digo á fortiori, mas de grado?
"	XVI,7	absoluto es a mí vuestro gran mando,
"	XX,2	a los extrenuos e magnos varones,
"	XX,5	a la batalla: e del mesmo leo
"	XXIV,8	abominables a todos guerreros.
"	XXVI,8	será victoria a Enoc, también a Elías.
"	XXVI,8	será victoria a Enoc, también a Elías.
"	XXVI,13	enxemplo sean a tantos señores
"	XXVII,3	non llamo sabio, mas a mi ver loco,
"	XXVII,8	ca si bien miro, yo veo a Sinón,
"	XXVII,12	e veo a Ulixes, varón fraudulento:
"	XXVII,13	pues oíd e creed a Licaón,
"	XXVIII,1	¡Non es a nos de limitar el año,
"	XXVIII,8	pues non sirvamos a quien non debemos,
"	XXVIII,13	Jove se sirva e a Ceres dexemos;
"	XXIX,6	oíd a todos, librad e proveed:
"	XXX,11	a quien se humillan los grandes señores,
"	XXX,12	a quien la Italia soberbia se inclina?
"	XXX,14	a la vuestra virtud cuasi divina.
"	XXXI,4	a Roma, con Italia, poseyera.
"	XXXI,10	a muchos, e a pocos la persevranza,
"	XXXI,10	a muchos, e a pocos la persevranza,
"	XXXII,8	cuanto loable sois a quien lo siente.
"	XXXIII,3	a quien anhela todo amor benigno,
"	XXXIII,4	a quien contempla como a santa Idea:
"	XXXIII,4	a quien contempla como a santa Idea:
"	XXXIV,14	la gloria, a todas glorias precedente.
"	XXXVIII,10	a aquella que en niñez me conquistó,

"	XXXVIII,1	a quien adoro, sirvo e me guerrea,
"	XXXVIII,13	a quien deseo, e non me desea,
"	XXXVIII,14	a quien me mata, aunque suyo so.
"	XXXIX,8	que a Dios fue grato e al mundo bienquisto.
"	XXXIX,9	mas imploramos a vuestra clemencia,
"	XLII,7	a caballero, por golpe ferrino,
abastado	XII,3	fallido de reposo e abastado
abismo	XLII,5	mas al abismo e centro maligno
abominables	XXIV,8	abominables a todos guerreros.
abrigado	XII,5	desnudo de esperanza e abrigado
absoluto	XVI,7	absoluto es a mí vuestro gran mando,
acabad	XVIII,13	e si lo denegades, acabadme:
acabado	XIX,9	La saturnina pereza acabado
acerbo	XLII,14	e mi dolor acerbo e incesante.
acorde	I,2	que el cielo, acorde con naturaleza,
acto	XLI,4	servando en acto la fraternal liga.
actos	XXIV,5	Sean sus actos non punto civiles,
"	XXIX,10	estos dos actos vuestros por derecho;
acuerda	XIV,12	El cuerdo acuerda, mas non el sandío;
admirable	XXXVI,9	jayán entre los santos admirable
adorada	IX,10	es adorada, e honesta destreza,
adoro	XXXVIII,11	a quien adoro, sirvo e me guerrea,
adversario	XVII,11	¿Nin adversario tanto capital,
"	XL,8	nuestro adversario, e fuste la mi guía:
adversarios	XXI,7	nin los mis males menos adversarios
adverso	XIV,3	en el adverso, ledas cantilenas
afán	XXXIII,13	Pues el que puede, fable sin afán
aflato	VIII,1	Despertad con aflato doloroso,
aflicciones	XXII,7	e así non causan las mis aflicciones,
aflicto	V,4	que en el ánimo aflicto es emprentada;
"	XIII,14	partido es dulce al aflicto muerte.
agora	XVIII,9	Oídme agora después condenadme,
"	XXII,9	Faced agora como comedida;
"	XXII,11	Faced agora como fizo Dios:
agros	XX,4	con agros sones e fieras canciones
agua	IV,1	El agua blanda en la peña dura
aguda	XXIII,1	Fiera Castino con aguda lanza
ajenas	XIV,7	jamás alternan nin son punto ajenas,
al	IV,12	di,¿qué faremos al ordenamiento
"	XII,11	Tajo al presente, nin me socorrer
"	XIII,14	partido es dulce al aflicto muerte.
"	XIV,4	cantan, e atienden al buen temporal;
"	XV,1	Traen los cazadores al marfil
"	XXIII,4	al victorioso nuce la tardanza.
"	XXXI,5	por cierto al universo la manera
"	XXXIV,7	tú debelaste al crüel dragón
"	XXXIV,12	que ruegues al señor omnipotente
"	XXXIX,8	que a Dios fue grato e al mundo bienquisto
"	XXXIX,13	al confesor insignio Villacreces:
"	XXXIX,14	muy glorïosa fue su vida al mundo.
"	XL,14	e al fin con los justos santidad.
"	XLI,2	al rey don Sancho, e con gran sentido
"	XLII,1	Non solamente al templo divino,
"	XLII,5	mas al abismo e centro maligno
alabanzas	XXXIII,14	tus alabanzas en la lengua mía.
alamud	XXXV,7	pobreza humilde, e closo alamud,
alcanzo	III,8	que non alcanzo por mucho que pienso?

alegre	II,13	Alegre paso la pena indebida;
"	VI,13	mas vivo alegre con quien me refuye;
"	XXIX,5	Con bulto alegre, manso e reposado
alegría	XXXVIII,8	e mi grave langor en alegría.
alegro	XVII,1	Alégrome de ver aquella tierra
alferce	XXIII,6	es el alferce de nuestra bandera,
alférez	XXXIV,5	muy digno alférez del sacro pendón,
algún	XIV,11	fixas, estables, sin algún reposo.
alguna	XXXVIII,1	Si ánima alguna tú sacas de pena
alguno	XV,6	que otro alguno, seré yo culpado
"	XXI,14	nin otro alguno, sinon Dios e vos.
"	XXVIII,14	nin piense alguno servir dos señores.
algunos	XV,9	Serán algunos, si me culparán,
alivio	XI,14	ser cualque alivio de la tal ferida.
alma	XXXV,13	de los santos, oh santa sacra e alma;
altercación	XXXVI,5	sin altercación e sin desvío,
alternan	XIV,7	jamás alternan nin son punto ajenas,
altivece	XX,9	así el ánimo mío se altivece,
alto	XXXV,5	principio de alto bien, en juventud
altos	XXIV,3	se muestran altos, fuertes e viriles,
amad	XXIX,4	amad la fama e aquélla temed.
amada	XVI,9	Bien merecedes vos ser mucho amada;
"	XLII,4	preclara infanta, mujer mucho amada;
amado	XIX,12	desque vos amo; e si soy amado,
amante	XLII,12	ir donde fueres, como fiel amante,
amar	XVIII,7	son loarvos e amarvos solamente,
amarán	XV,12	nin sintieron amor, nin amarán,
ambas	XIX,6	ambas dos cosas juzgo ser iguales:
amemos	XXIX,13	e refiriendo gracias, vos amemos;
amiga	XLI,5	¡Oh dulce hermano! Pues que tanto amiga
amo	XIX,12	desque vos amo; e si soy amado,
amó	XX,10	se jacta e loa, porque vos amó,
amor	III,1	Sitio de amor con gran artillería
"	III,10	nin de David el gran amor divino,
"	IV,13	de amor, que priva toda señoría,
"	V,1	Fedra dio regla e manda que en amor,
"	VI,9	Verdad sea que amor gasta e destruye
"	IX,1	Timbre de amor, con el cual combate,
"	X,2	a cuyo mando me sojuzgó amor,
"	XI,1	Amor, deúdo e voluntad buena
"	XI,8	ínfima cárcel, mas celeste amor.
"	XIII,12	E si muriere, muera por su amor:
"	XV,12	nin sintieron amor, nin amarán,
"	XXXIII,3	a quien anhela todo amor benigno,
amoroso	II,10	llagó mi pecho con dardo amoroso:
"	VI,10	las mis entrañas con fuego amoroso,
"	VIII,8	ligan mis fuerzas con perno amoroso?
"	X,9	El su fablar grato dulce, amoroso,
"	XIV,14	tal es la llaga del dardo amoroso.
ampara	XXXV,11	así yerra quien de ti se ampara
andan	XXVII,5	los picos andan, pues si non velades,
andar	X,12	el andar suyo es con tal reposo,
anegar	XXXVI,8	que non sin causa se debió anegar:
ángel	XL,9	e así te ruego, ángel, hayas cura
ángeles	XXXIV,3	de los ángeles malos damnación,
angélico	XV,11	angélico viso e forma excelente:
anhela	XXXIII,3	a quien anhela todo amor benigno,

Aníbal	XXXI,1	Venció Aníbal el conflicto de Canas
ánima	XXXVII,1	Oh ánima devota, que en el signo
"	XXXVIII,1	Si ánima alguna tú sacas de pena
ánimo	III,4	nin el ánimo mío está suspenso
"	V,4	que en el ánimo aflicto es emprentada;
"	IX,3	del ánimo gentil de Rea mate,
"	XI,10	mas ánimo gentil atarde olvida,
"	XIV,9	Mas emprentadas el ánimo mío
"	XVI,2	non el ánimo mío, nin se crea;
"	XX,9	así el ánimo mío se altivece,
"	XLII,3	según tu santo ánimo e benigno,
ánimos	XXIV,1	Non en palabras ánimos gentiles,
antes	IV,11	antes repruebas mi loca porfía.
año	XXVIII,1	¡Non es a nos de limitar el año,
apariencia	XXXII,6	vana apariencia, mas juzgo patente
apartar	XI,11	e yo conozco ser bueno apartar.
aprés	IV,5	Paces he visto aprés de gran rotura
apresura	XL,11	ella con diligencia te apresura,
aquél (p.)	XII,14	de me guarir e sólo aquél deseo.
aquel (a.)	VII,10	aquel buen punto que primero vi
"	XX,7	e dulce carmen de aquel tal meneo,
"	XXXVII,6	de aquel pobre seráfico; e guardando
aquélla (p.)	VIII,7	a aquélla a quien sus crüeles prisiones
"	XIII,3	do es aquélla, cuyo mas que mío
"	XXIX,4	amad la fama e aquélla temed.
"	XXXVIII,10	a aquélla que en niñez me conquistó,
aquella (a.)	X,1	Cuando yo soy delante aquella dona,
"	XI,6	aquella flama, nin la su furor,
"	XVII,1	Alégrome de ver aquella tierra
"	XXXIX,3	aquella santidad bien meritada
aquesto	XVII,5	Mas luego vuelvo e aquesto me atierra,
Aquila	I,10	nin fizo la de Aquila e de Fotino,
aquilino	XXXVII,3	e los sus rayos con viso aquilino
Arabia	VII,2	nin los filos de Arabia más fermosos
arbitrio	VI,4	es el arbitrio mío e voluntad!
arcángel	XXXIV,4	Miguel arcángel, duque glorioso;
ardía	XXXVIII,6	en la cual grandes tiempos ha que ardía,
ardiendo	II,14	ardiendo en fuego, me fallo en reposo.
ardiente	XII,10	la sed ardiente de mi gran deseo
ardor	V,5	la pluma escriba e muestre el ardor
arenas	XXXVI,4	de cielos, tierras, arenas e mar:
armas	XXIV,7	e dexemos las armas femeniles,
artillería	III,1	Sitio de amor con gran artillería
asayó	XX,13	e se maldice porque lo asayó,
así	I,12	Así que lloro mi servicio indigno
"	III,14	así que a defensar me fallo indigno.
"	VIII,4	que yo así viva jamás congoxoso.
"	X,7	así que punto yo non he vigor
"	XI,13	así diría, sirviendo, esperar
"	XX,9	así el ánimo mío se altivece,
"	XXII,7	e así non causan las mis aflicciones,
"	XXXV,11	así non yerra quien de tí se ampara
"	XXXIX,2	caridad, e así vos, tercio Calixto,
"	XL,9	e así te ruego, ángel, hayas cura
Asís	XXXV,2	luna de Asís, e fija de Hortulana,
asna	XXXIII,11	nin el asna pudiera de Balam,
aspecto	X,6	según su aspecto e grande resplandor:

brazo	XXXII,11	el brazo militante caballero;
brevedad	XL,10	del curso de mi vida e brevedad:
buen	VII,10	aquel buen punto que primero vi
"	XIV,4	cantan, e atienden al buen temporal;
buena	I,3	formaron, loo mi buena ventura,
"	XI,1	Amor, deúdo e voluntad buena
"	XXIII,13	ca en vuestra espada es la buena suerte
bueno	XI,11	e yo conozco ser bueno apartar.
"	XXXI,14	cuanto es loable, bueno e diligente.
bulto	XV,3	con bulto e con aspecto femenil,
"	XXIX,5	Con bulto alegre, manso e reposado
buscan	XXI,1	Si buscan los enfermos santüarios
ca	I,6	ca sólo de loar es la pureza;
"	I,9	ca non fue tanta la del mal Tereo,
"	VIII,13	¿De qué temedes? Ca yo non entiendo
"	X,14	ca, libre, vivo en cautividad.
"	XIII,10	de daño mío, ca yo non lo espero;
"	XIX,5	ca partirme de vos o de la fe,
"	XXIII,13	ca en vuestra espada es la buena suerte
"	XXV,2	oh patria mía, ca veo del todo
"	XXV,10	¿Do la esperanza? Ca por cierto ausentes
"	XXVII,4	quien lo impidiere; ca si lo mirades,
"	XXVII,9	ca si bien miro, yo veo a Sinón,
"	XXVII,14	ca chica cifra desface gran cuento.
"	XXIX,8	ca ninguno domina sin merced.
"	XL,6	ca me guardaste fasta en este día
"	XL,12	ca mucho es débil mi fragilidad:
caballero	XXXII,11	el brazo militante caballero;
"	XLII,7	a caballero, por golpe ferrino,
caballeros	XXIV,6	mas virtüosos e de caballeros;
cabellos	VII,3	que los vuestros cabellos luminosos,
Caliópe	XXX,4	e Caliópe fuelga e ha reposo.
Calixto	XXXIX,2	caridad, e así vos, tercio Calixto,
calla	XXX,1	Calla la pluma e luce la espada
callando	VIII,14	morir callando sea gran ciencia.
callaron	XXIV,11	non es en duda, maguer que callaron,
calma	XXXVIII,7	en mansa calma, tranquila e serena,
camino	XXII,6	vuestro camino, el cual me mató;
caminos	XXI,3	por luengas vías e caminos varios,
campal	XVIII,14	peor es guerra que non lid campal.
campos	XVII,3	sean planicies o campos o sierra,
Canas	XXXI,1	Venció Aníbal el conflicto de Canas
canciones	XX,4	con agros sones e fieras canciones
canonizado	XXXIX,12	canonizado por vulgar sentencia,
cansada	XLI,14	si tal ventura ya non es cansada.
cansado	I,14	e me fallo cansado e peregrino.
canse	XXXI,12	E non vos canse tan viril jornada;
cantan	XIV,4	cantan, e atienden al buen temporal;
"	XXX,9	¿por qué non cantan los vuestros loores
cantando	XXVI,6	la santa esposa non cesa cantando,
cantidad	XXXI,6	plugo, e se goza en gran cantidad
cantilenas	XIV,3	en el adverso, ledas cantilenas
capital	XVII,11	¿Nin adversario tanto capital,
cara	XXVII,10	magra la cara, desnudo e fambriento,
cárcel	XI,8	ínfima cárcel, mas celeste amor.
caridad	XXV,9	¿Do es la fe? ¿Do es la caridad?
"	XXXIX,2	caridad, e así vos, tercio Calixto,

carmen	XX,7	e dulce carmen de aquel tal meneo,
"	XXVI,5	el pastor, cuyo carmen todos días
carro	XXIII,14	e los honores del carro triunfante.
"	XXX,13	Dexen el carro los emperadores
casa	XLI,9	¡Oh real casa, tanto perseguida
Castino	XXIII,1	Fiera Castino con aguda lanza
causa	XXXVI,8	que non sin causa se debió anegar:
causan	XXII,7	e así non causan las mis aflicciones,
causas	XXIII,12	pensad las causas por qué las sufrides;
cautiva	IX,2	cautiva e prende toda gente humana;
cautividad	VI,8	nin me despliega tal cautividad.
"	X,14	ca, libre, vivo en cautividad.
cazadores	XV,1	Traen los cazadores al marfil
celar	XLI,6	jamás te fui, como podré celar
celeste	XI,8	ínfima cárcel, mas celeste amor.
celestial	XXXIV,1	Del celestial exército patrón
cena	XXXVIII,3	pescador santo, uno de la cena
centro	XLII,5	mas al abismo e centro maligno
cerca	XII,1	Lexos de vos e cerca de cuidado,
cercana	IX,5	de la famosa rueda tan cercana
Ceres	XXVIII,13	Jove se sirva e a Ceres dexemos;
cesa	IV,8	nin punto cesa mi langor mortal.
"	XXVI,6	la santa esposa non cesa cantando,
cesan	III,3	e jamás cesan de noche e de día,
cesaré	XIX,3	concurriesen en mí, non cesaré
chica	XXVII,14	ca chica cifra desface gran cuento.
cielo	I,2	que el cielo, acorde con naturaleza,
cielos	XXXVI,4	de cielos, tierras, arenas e mar:
ciencia	VIII,14	morir callando sea gran ciencia.
cierta	XXIII,5	Razón nos mueve, e cierta esperanza
ciertamente	X,10	es una maravilla ciertamente,
"	XXIV,10	por el bien de la patria, ciertamente
"	XXXII,2	sois solas ciudades ciertamente,
cierto	XI,5	Cierto bien siento que non fue terrena
"	XXII,13	cierto faredes obra virtüosa,
"	XXV,7	Por cierto, España, muerta es tu nobleza,
"	XXV,10	¿Do la esperanza? Ca por cierto ausentes
"	XXV,14	por cierto non: que lexos son füidas.
"	XXIX,11	pues que el principio es cierto, e sabemos
"	XXXI,5	Por cierto al universo la manera
cifra	XXVII,14	ca chica cifra desface gran cuento.
ciudad	XIII,2	que baña en torno la noble ciudad,
"	XVII,2	non menos la ciudad e la morada,
ciudades	XXXII,2	sois solas ciudades ciertamente,
civiles	XXIV,5	Sean sus actos non punto civiles,
clamores	XXVI,11	¿sentides, por ventura los clamores
Clara	XXXV,14	pues hora ora pro me, beata Clara.
clara	XXV,6	e la tu clara fama en escureza!
"	XXXV,1	Clara por nombre, por obra e virtud
claras	XXXII,12	claras estirpes, diversas naciones,
claro	VII,12	tal como perla e claro rubí,
"	XV,4	claro e fermoso, compuesto e ornado.
claror	V,10	e sincera claror cuasi divina,
"	X,4	vieron la gran claror que se razona,
clavellina	II,5	e cual parece flor de clavellina
clemencia	XVII,14	do yo non fallo punto de clemencia?
"	XXXIX,9	Mas imploramos a vuestra clemencia,

clero	XXXII,9	En vos concurre venerable clero,
closo	XXXV,7	pobreza humilde, e closo alamud,
Cloto	XLII,8	cortar la tela por Cloto filada.
combate	IX,1	Timbre de amor, con el cual combate,
combates	III,5	de sus combates, con tanta porfía
comedida	XXII,9	Faced agora como comedida;
comendada	XXX,5	Yo plango e lloro non ser comendada
comendemos	XXIX,9	Como quiera que sea, comendemos
cometiente	XXIII,3	el cometiente las más veces gana;
comienza	XXXIX,1	De sí mesma comienza la ordenada
como	VII,12	tal como perla e claro rubí,
"	XIV,10	las tiene, como piedra la figura,
"	XXII,9	faced agora como comedida;
"	XXII,11	faced agora como fizo Dios:
"	XXVII,2	como conviene, non se fará poco:
"	XXIX,9	como quiera que sea, comendemos
"	XXXIII,4	a quien contempla como a santa Idea:
"	XLI,6	jamás te fui, como podré celar
"	XLII,12	ir donde fueres, como fiel amante,
compañía	XXXVIII,4	de la divinal mesa e compañía.
compuesto	XV,4	claro e fermoso, compuesto e ornado.
conciencia	XVII,12	que non fuese pungido de conciencia
concurre	XXXII,9	En vos concurre venerable clero,
concurriesen	XIX,3	concurriesen en mí, non cesaré
condenad	XVIII,9	Oídme agora despué's condenadme,
conduce	XXIII,8	e nos conduce con gran ordenanza.
confesor	XXXIX,13	al confesor insignio Villacreces:
confirmada	XXXIX,5	quisistes que fuese confirmada
conflicto	XXXI,1	Vencio Anibál el conflicto de Canas
congoxa	XII,4	de mortal pena, congoxa e graveza;
congoxada	XIX,14	de mi triste yacija congoxada.
congoxoso	VIII,4	que yo así viva jamás congoxoso.
conmemoración	XXXVI,11	de quien yo fago conmemoración;
conmovieron	XXXVII,12	Nin las sus ricas mitras conmovieron
conozco	XI,11	e yo conozco ser bueno apartar.
conquisto	XXXVIII,10	a aquélla que en niñez me conquistó,
conseguid	XXXI,13	mas conseguidla, tolliendo tardanza
conseguir	XLII,13	e conseguirte, dulce mía Idea,
consistorio	XXXIX,6	por consistorio, según vos fue visto:
consolad	XXII,12	e consoladme con vuestra venida:
consume	XI,12	Pero deseo consume la vida:
contempla	XXXIII,4	a quien contempla como a santa Idea:
contemplando	XXXVII,2	e santo nombre estás contemplando,
contenga	V,11	en sí contenga la feroz crüeza,
contento	II,12	me face ledo, contento e quexoso.
continente	X,13	honesto e manso, e su continente,
contra	IX,14	e non me juzgues contra gentileza.
"	XLI,3	procedió presto contra el mal Bellido,
"	XLI,12	fue contra Tebas, nin tanto indignada.
contrarios	XXI,5	Son, si pensades, menores contrarios
contraste	XLI,8	por bien que el seso contraste e desdiga?
convertiste	XXXVIII,5	Tú convertiste la flama egehena,
conviene	XXVII,2	como conviene, non se fará poco:
corazones	XX,8	e reposaba los sus corazones.
"	XXII,3	nuestro Maestro; mas sus corazones
cordura	IX,9	Templo eminente, donde la cordura
coro	IX,12	coro placiente do virtud se reza,

cuento	XXVII,14	ca chica cifra desface gran cuento.
"	XXXII,13	fustas sin cuento; Hércules primero,
"	XXXV,12	e te cuenta del cuento dominante
cuerdo	XIV,12	El cuerdo acuerda, mas non el sandío;
cuidado	XII,1	Lexos de vos e cerca de cuidado,
cuido	X,3	cuido ser uno de los que en Tabor
cuita	XII,6	de inmensa cuita e visto de aspereza,
cuitad	XIII,6	es la mi barca veloce, cuitad
cuitas	XIV,6	cuitas, trabajos e langor mortal
"	XXI,10	mis grandes cuitas, mis penas, mis males,
culpado	XV,6	que otro alguno, seré yo culpado
culparán	XV,9	Serán algunos, si me culparán,
cura	XIV,13	la muerte veo, e non me doy cura:
"	XVIII,8	pospuesta cura de todos oficios.
"	XXI,2	con gran deseo e sedienta cura
"	XL,9	e así te ruego, ángel, hayas cura
curar	XXI,12	Nin Esculapio podría curar
curial	XL,1	De la superna corte curial,
curso	IV,2	face por curso de tiempo señal,
"	XIII,7	con todas fuerzas e curso radío
"	XIV,8	sea destino o curso fatal?
"	XIX,10	habría ya su curso tardinoso,
"	XL,10	del curso de mi vida e brevedad:
custodia	XL,4	fuste enviado por custodia mía:
cuya	VI,3	so cuya mano, mando e señoría
cuyo	VII,14	a cuyo esguarde e merced me di.
"	X,2	a cuyo mando me sojuzgó amor,
"	XIII,3	do es aquélla, cuyo más que mío
"	XXVI,5	el pastor, cuyo carmen todos días
"	XXXVI,3	en cuyo pomo iba el señorío
da	II,11	la cual me mata en pronto e da la vida,
dad	XXXIX,11	non se recusen; mas dadnos segundo,
dada	XXXI,9	Si la gracia leemos sea dada
damnación	XXXIV,3	de los ángeles malos damnación,
"	XXXVI,14	libre del golfo de la damnación.
Damne	IX,7	nin fizo Dido, nin Damne Penea,
daño	VIII,3	mío es el daño e suya la mengua
"	XIII,10	de daño mío, ca yo no lo espero;
"	XXVII,8	nin ver el daño, si non reparades.
"	XXVIII,5	Cuando menos dudamos nuestro daño
dardo	II,10	llagó mi pecho con dardo amoroso:
"	XIV,14	tal es la llaga del dardo amoroso.
David	III,10	nin de David el gran amor divino,
deal	II,8	la vuestra imagen e deal presencia,
"	X,8	de mirar fixo su deal persona.
debelaste	XXXIV,7	tú debelaste al crüel dragón
debemos	XXVIII,9	Pues non sirvamos a quien non debemos,
débil	XL,12	ca mucho es débil mi fragilidad:
debió	XXXVI,8	que non sin causa se debió anegar:
Decios	XXIV,9	Si los Scipiones e Decios lidiaron
deesa	IX,13	válgame ya, deesa, tu mesura
defensar	III,14	así que a defensar me fallo indigno.
defenso	III,6	que ya me sobran, maguer me defenso.
delante	X,1	Cuando yo soy delante aquella dona,
"	XXIII,11	e tantas menguas sean vos delante:
delantera	XXIII,7	e justicia patrona e delantera;
demostrar	V,3	a demostrar la pena o la dolor,

demostraron	I,5	me demostraron, e su fermosura,
denegades	XVIII,13	e si lo denegades, acabadme:
derecho	XXIX,10	estos dos actos vuestros por derecho;
desafía	XXVIII,8	non suenan trompas, nin nos desafía.
desde	XVI,11	cuantas padezco desde la jornada
desdiga	XLI,8	por bien que el seso contraste e desdiga?
desea	XXXIII,8	pero mi lengua loar te desea.
"	XXXVIII,13	a quien deseo, e non me desea,
"	XLII,11	mas la mi triste vida, que desea
deseo (s.)	XI,12	Pero deseo consume la vida:
"	XII,10	la sed ardiente de mi gran deseo
"	XX,3	e los movía con viril deseo,
"	XXI,2	con gran deseo e sedienta cura
deseo (v.)	XII,14	de me guarir e sólo aquél deseo.
"	XXXVIII,13	a quien deseo, e non me desea,
desface	XXVII,14	ca chica cifra desface gran cuento.
desnudo	XII,5	desnudo de esperanza e abrigado
"	XXVII,10	magra la cara, desnudo e fambriento,
despertad	VIII,1	Despertad con aflato doloroso,
despliega	VI,8	nin me despliega tal cautividad.
después	XVIII,9	Oídme agora después condenadme,
"	XIX,13	vos lo sabedes, después del reposo
desque	XIX,12	desque vos amo; e si soy amado,
destino	XIV,8	sea destino o curso fatal?
destreza	IX,10	es adorada, e honesta destreza,
destruye	V,6	que destruye la mente fatigada;
"	VI,9	Verdad sea que amor gasta e destruye
desvío	XXXVI,5	sin altercación e sin desvío,
deudo	XI,1	Amor, deúdo e voluntad buena
devota	XXXVII,1	Oh ánima devota, que en el signo
dexaremos	XXIV,14	e dexaremos el fablar nuciente.
dexemos	XXIV,7	e dexemos las armas femeniles,
"	XXVIII,13	Jove se sirva e a Ceres dexemos;
dexen	XXX,13	Dexen el carro los emperadores
dexó	XXII,2	de Galilea, cuando los dexó
di	VII,14	a cuyo esguarde e merced me di.
"	XVI,5	Yo me vos di, e non punto dudando
di	IV,12	Di, ¿qué faremos al ordenamiento
día	III,3	e jamás cesan de noche e de día,
"	XXVIII,2	el mes, nin la semana, nin el día,
"	XL,6	ca me guardaste fasta en este día
días	XXVI,5	el pastor, cuyo carmen todos días
"	XXXI,3	que en pocos días o pocas semanas
Dido	IX,7	nin fizo Dido, nin Damne Penea,
digna	XXX,10	e fortaleza de memoria digna,
"	XXXV,8	del seráfico sol muy digna hermana.
dignas	XXXIX,10	si serán dignas nuestras santas preces,
dignidades	XXXVII,9	Ningunas dignidades corrompieron
dignifique	XXXIV,13	nos dignifique, por que poseamos
digno	III,12	nin Hércules se falla tanto digno
"	XXXIII,5	si de fablar de tí yo non soy digno,
"	XXXIV,5	muy digno alférez del sacro pendón,
"	XXXVII,5	serás perfecto e discípulo digno
digo	XV,8	non digo á fortiori, mas de grado?
diligencia	XL,11	ella con diligencia te apresura,
diligente	XXXI,14	cuanto es loable, bueno e diligente.
dio	V,1	Fedra dio regla e manda que en amor,

entristece	XX,12	Mas luego pronto e presto se entristece
enviado	XL,4	fuste enviado por custodia mía:
enxemplo	XXVI,13	Enxemplo sean a tantos señores
"	XXXV,3	de santas donas enxemplo e salud,
era	XXII,8	aunque si vuestro era, vuestro so.
eran	VII,5	Eran ligados de un verdor placiente
escriba	V,5	la pluma escriba e muestre el ardor
Esculapio	XXI,12	Nin Esculapio podría curar
escureza	XXV,6	e la tu clara fama en escureza!
esforzaba	XX,1	Cuéntase que esforzaba Timoteo
esguarde	VI,1	¡Oh dulce esguarde, vida e honor mía,
"	VII,14	a cuyo esguarde e merced me di.
espada	XVI,13	Sed el oliva, pues fuestes la espada;
"	XXIII,13	ca en vuestra espada es la buena suerte
"	XXX,1	Calla la pluma e luce la espada
espantable	XXXVI,12	faz, por tus ruegos, por el espantable
España	XXV,7	Por cierto, España, muerta es tu nobleza,
"	XXXII,1	Roma en el mundo e vos en España
"	XXXIX,7	gozóse España con esta jornada;
especial	XL,5	gracias te fago, mi guarda especial,
espera	XXV,4	donde se espera inmenso lacerio?
"	XXXI,8	donde la Astrea dominar espera.
esperanza	XII,5	desnudo de esperanza e abrigado
"	XXIII,5	Razón nos mueve, e cierta esperanza
"	XXV,10	¿Do la esperanza? Ca por cierto ausentes
esperar	XI,13	así diría, sirviendo, esperar
espero	XIII,10	de daño mío, ca yo non lo espero;
esposa	XXVI,6	la santa esposa non cesa cantando,
esta	XXXIX,7	gozóse España con esta jornada;
está	III,4	nin el ánimo mío está suspenso
estables	XIV,11	fixas, estables, sin algún reposo.
estaciones	XXII,5	por mí sabidas vuestras estaciones,
estás	XXXVII,2	e santo nombre estás contemplando,
estatura	XXXVI,10	por fuerza insigne e gran estatura,
este	XL,6	ca me guardaste fasta en este día
estirpes	XXXII,12	claras estirpes, diversas naciones,
estos	XXIX,10	estos dos actos vuestros por derecho;
"	XXXIV,9	Por todos estos premios te honoramos
estrella	VII,8	cual viva flama o estrella de Oriente.
estupaza	VII,4	nin gema de estupaza tan fulgente.
eternal	XL,3	que de la diva morada eternal
eterno	XXXVII,8	lugar eterno, do vives triunfando.
excelencia	XXX,3	vuestra excelencia non es memorada
excelente	XV,11	angélico viso e forma excelente:
"	XVIII,3	que vos temedes, señora excelente,
"	XXXII,4	corona de la Bética excelente.
"	XXXIV,10	e veneramos, príncipe excelente;
excelso	XXXIV,8	en virtud del excelso poderoso.
exercicios	XVIII,6	mis pensamientos e mis exercicios
exército	XXXIV,1	Del celestial exército patrón
explana	IX,8	de quien Ovidio gran loor explana.
extrenuos	XX,2	a los extrenuos e magnos varones,
fablar	X,9	El su fablar grato dulce, amoroso,
"	XXIV,14	e dexaremos el fablar nuciente.
"	XXXIII,5	si de fablar de tí yo non soy digno,
"	XXXIII,12	sin gracia suya, fablar, nin sabía?
fablaron	XXXIII,9	¿Fablaron por ventura Juan e Juan,

fable	XXXIII,13	Pues el que puede, fable sin afán
face (faz)	II,12	me face ledo, contento e quexoso.
"	IV,2	face por curso de tiempo señal,
"	IV,6	atarde tura el bien, nin face el mal;
faced	XXII,9	Faced agora como comedida;
"	XXII,11	Faced agora como fizo Dios:
"	XXIX,2	ínclito rey, tales obras faced
"	XXIX,7	faced que hayades las gentes en grado;
facen	XI,2	doler me facen de vuestra dolor,
facer	XXVI,3	del que se quiso por nos facer hombre,
fago	XXXVI,11	de quien yo fago conmemoración;
"	XL,5	gracias te fago, mi guarda especial,
falla	III,12	nin Hércules se falla tanto digno
"	V,2	cuando la lengua non se falla osada
fallaredes	XVIII,10	sinon me fallaredes más leal
fallido	XII,3	fallido de reposo e abastado
fallo	I,14	e me fallo cansado e peregrino.
"	II,14	ardiendo en fuego, me fallo en reposo.
"	III,14	así que a defensar me fallo indigno.
"	XVII,14	do yo non fallo punto de clemencia?
falsos	I,11	falsos ministros de tí, Tolomeo.
fama	XXV,6	e la tu clara fama en escureza!
"	XXIX,4	amad la fama e aquélla temed.
"	XXXII,7	vuestra gran fama aún non ser tamaña,
fambriento	XXVII,10	magra la cara, desnudo e fambriento,
famosa	IX,5	de la famosa rueda tan cercana
famoso	XIII,1	Doradas ondas del famoso río
"	XXX,6	vuestra eminencia e nombre tan famoso,
fará	XXVII,2	como conviene, non se fará poco:
farás	III,7	Pues, ¿qué farás, oh triste vida mía,
faredes	XXII,13	cierto faredes obra virtüosa,
faremos	IV,12	Di,¿qué faremos al ordenamiento
farta	XXVIII,12	de poco es farta, nin procura honores:
fasta	XVI,3	nin puede ser, nin será fasta cuando
"	XXVI,7	e durará tan lexos fasta cuando
"	XL,6	ca me guardaste fasta en este día
fatal	XIV,8	sea destino o curso fatal?
fatigada	V,6	que destruye la mente fatigada;
faz (face)	V,8	te faz ser vista fiel enamorada.
faz	XXXVI,12	faz, por tus ruegos, por el espantable
fazaña	XXXII,3	fermosa Hispalis, sola por fazaña,
fe	XIX,5	Ca partirme de vos o de la fe,
"	XXV,9	¿Do es la fe? ¿Do es la caridad?
Febo	VII,1	Non es el rayo de Febo luciente,
fecha	XXXI,7	de vuestra tan bien fecha libertad,
fecho	XXIX,12	en todas cosas ser lo más del fecho:
Fedra	V,1	Fedra dio regla e manda que en amor,
felice	XXXVI,1	Leño felice, que el gran poderío
femenil	XV,3	con bulto e con aspecto femenil,
femeniles	XXIV,7	e dexemos las armas femeniles,
ferida	II,9	cuando la llaga o mortal ferida
"	XI,14	ser cualque alivio de la tal ferida.
feristes	XVI,12	que me feristes de golpe mortal.
fermosa	XXXII,3	fermosa Hispalis, sola por fazaña,
fermosas	IX,4	e de las fermosas, soberana;
fermoso	XV,4	claro e fermoso, compuesto e ornado.
fermosos	VII,2	nin los filos de Arabia más fermosos

fermosura	I,5	me demostraron, e su fermosura,
"	IX,11	silla e reposo de la fermosura;
"	XV,13	nin los poderes de la fermosura
"	XX,11	Cuando yo veo tanta fermosura.
feroz	V,11	en sí contenga la feroz crüeza,
Ferrara	XXXVII,11	sábenlo Siena, Ferrara e Urbino.
ferrino	XLII,7	a caballero, por golpe ferrino,
fervencia	II,4	las gentes de ella, con toda fervencia;
festival	XXXVIII,2	por el festival don, es hoy la mía,
fiebre	I,13	e la mi loca fiebre, pues que veo
fiel	V,8	te faz ser vista fiel enamorada.
"	XLII,12	ir donde fueres, como fiel amante,
fiera	XXIII,1	Fiera Castino con aguda lanza
fieras	XX,4	con agros sones e fieras canciones
fieros	XXIV,2	non en menazas nin semblantes fieros
figura	XIV,10	las tiene, como piedra la figura,
"	XV,10	que nunca vieron la vuestra figura,
fija	X,5	o que ella sea fija de Latona,
"	XXXV,2	luna de Asís, e fija de Hortulana,
fijo	XXXIII,6	la gracia del tu fijo me provea:
filada	XLII,8	cortar la tela por Cloto filada.
filos	VII,2	nin los filos de Arabia más fermosos
fin	XL,14	e al fin con los justos santidad.
fixas	XIV,11	fixas, estables, sin algún reposo.
fixo	X,8	de mirar fixo su deal persona.
"	XXXVII,4	solares miras fixo, non vagando:
fizo	I,10	nin fizo la de Aquila e de Fotino,
"	IX,7	nin fizo Dido, nin Damne Penea,
"	XXII,11	Faced agora como fizo Dios:
flama	VII,8	cual viva flama o estrella de Oriente.
"	XI,6	aquella flama, nin la su furor,
"	XXXVIII,5	Tú convertiste la flama egehena,
flor	II,5	e cual parece flor de clavellina
Florencia	II,6	en los frescos jardines de Florencia,
flores	VII,6	e flores de jazmín, que los ornaba;
folgura	IV,7	mas la mi pena jamás ha folgura
forma	II,7	vieron mis ojos en forma divina
"	VII,11	la vuestra imagen e forma divina,
"	XV,11	angélico viso e forma excelente:
"	XXXIII,2	vistió la forma de humanal librea,
formaron	I,3	formaron, loo mi buena ventura,
fortaleza	XXV,13	prudencia e fortaleza?¿Son presentes?
fortaleza	XXVI,1	Forzó la fortaleza de Golías
"	XXX,10	e fortaleza de memoria digna,
fortiori	XV,8	non digo á fortiori, mas de grado?
fortuna	XLI,10	de la mala fortuna, e molestada!
forzó	XXVI,1	Forzó la fortaleza de Golías
Fotino	I,10	nin fizo la de Aquila e de Fotino,
fragilidad	XL,12	ca mucho es débil mi fragilidad:
fraternal	XLI,4	servando en acto la fraternal liga.
fraudulento	XXVII,12	e veo a Ulixes, varón fraudulento:
fray	XXXIX,4	por fray Vicente, discíp(u)lo de Cristo,
frescos	II,6	en los frescos jardines de Florencia,
fuego	II,14	ardiendo en fuego, me fallo en reposo.
"	VI,10	las mis entrañas con fuego amoroso,
fuegos	XXI,6	los veneréos fuegos sin mesura,
fuelga	XXX,4	e Caliópe fuelga e ha reposo.

fuelgo	VI,12	nin punto fuelgo, nin soy en reposo,
fuente	XXXV,6	perseverante, e fuente, de do mana
fueres	XLII,12	ir donde fueres, como fiel amante,
fueron	XXII,1	Divinativos fueron los varones
fuerte	XXXVII,10	el fuerte muro de tu santidad:
fuertes	XXIV,3	se muestran altos, fuertes e viriles,
fuerza	III,9	La corpórea fuerza de Sansón.
"	XXXVI,10	por fuerza insigne e gran estatura,
fuerzas	VIII,8	ligan mis fuerzas con perno amoroso?
"	XIII,7	con todas fuerzas e curso radío
"	XXXVIII,12	e las mis fuerzas del todo sobró;
fuese	XVII,12	que non fuese pungido de conciencia
"	XXXIX,5	quisistes que fuese confirmada
"	XLII,6	te seguiría, si fuese otorgada
fuestes	XVI,13	Sed el oliva, pues fuestes la espada;
"	XVI,14	sed el bien mío, pues fuestes mi mal.
fui	XLI,6	jamás te fui, como podré celar
fuidas	XXV,14	por cierto non: que lexos son fûidas.
fuiga	XXVIII,4	lexos de nos e fuiga toda vía.
fuiste	VI,6	fuiste señora de mi libertad,
fulgente	VII,4	nin gema de estupaza tan fulgente.
furor	XI,6	aquella flama, nin la su furor,
fustas	XXXII,13	fustas sin cuento; Hércules primero,
fuste	XL,4	fuste enviado por custodia mía:
"	XL,8	nuestro adversario, e fuste la mi guía:
fuya	VI,7	E non te pienses fuya tu valía
fuye	XII,7	la mi vida me fuye, mal mi grado,
Galilea	XXII,2	de Galilea, cuando los dexó
gana	XXIII,3	el cometiente las más veces gana;
ganaste	XXXVII,7	el orden suyo, ganaste el divino
gasta	VI,9	Verdad sea que amor gasta e destruye
"	VIII,11	la cual me gasta e vame dirruyendo,
gema	VII,4	nin gema de estupaza tan fulgente.
geno	IV,4	trasmuda e troca del geno humanal.
gente	IX,2	cautiva e prende toda gente humana;
"	XV,14	e mando universal en toda gente.
"	XXIII,2	la temerosa gente pompeana;
gentes	II,4	las gentes de ella, con toda fervencia;
"	XXIX,7	faced que hayades las gentes en grado;
gentil	I,1	Cuando yo veo la gentil criatura
"	II,1	Cual se mostraba la gentil Lavina
"	IX,3	del ánimo gentil de Rea mate,
"	XI,10	mas ánimo gentil atarde olvida,
"	XV,7	si moriré por vos, dona gentil,
gentiles	XXIV,1	Non en palabras ánimos gentiles,
gentileza	IX,14	e non me juzgues contra gentileza.
gestas	XXVI,14	las gestas de Sión, si las leístes.
gloria	XXV,5	¡Tu gloria e laude tornó vituperio
"	XXXIV,14	la gloria, a todas glorias precedente.
glorias	XXXIV,14	la gloria, a todas glorias precedente.
gloriosa	XXXIX,14	muy gloriosa fue su vida al mundo.
glorioso	XXIX,14	que es de los reyes glorioso pecho.
"	XXXIV,4	Miguel arcángel, duque glorioso;
"	XXXV,10	e glorioso premio de la palma:
golfo	XXXVI,14	libre del golfo de la damnación.
Golías	XXVI,1	Forzó la fortaleza de Golías
golpe	XVI,12	que me feristes de golpe mortal.

"	XLII,7	a caballero, por golpe ferrino,
goza	XXXI,6	plugo, e se goza en gran cantidad
gozo	XII,2	pobre de gozo e rico de tristeza,
gozó	XXXIX,7	gozóse España con esta jornada;
gracia	XXXI,9	Si la gracia leemos sea dada
"	XXXIII,6	la gracia del tu fijo me provea:
"	XXXIII,12	sin gracia suya, fablar, nin sabía?
gracias	XXIX,13	e refiriendo gracias, vos amemos;
"	XL,5	gracias te fago, mi guarda especial,
grado	XII,7	la mi vida me fuye, mal mi grado,
"	XV,8	non digo á fortiori, mas de grado?
"	XXIX,7	faced que hayades las gentes en grado;
gran	III,1	Sitio de amor con gran artillería
"	III,10	nin de David el gran amor divino,
"	IV,5	Paces he visto aprés de gran rotura
"	VIII,14	morir callando sea gran ciencia.
"	IX,8	de quien Ovidio gran loor explana.
"	X,4	vieron la gran claror que se razona,
"	XII,10	la sed ardiente de mi gran deseo
"	XVI,7	absoluto es a mí vuestro gran mando,
"	XVIII,12	de tan gran pena, e sentid mi mal:
"	XXI,2	con gran deseo e sedienta cura
"	XXIII,8	e nos conduce con gran ordenanza.
"	XXVII,14	ca chica cifra desface gran cuento.
"	XXVIII,6	la gran bailesa de nuestra bailía
"	XXXI,6	plugo, e se goza en gran cantidad
"	XXXII,7	vuestra gran fama aún non ser tamaña,
"	XXXIII,10	Jacobo e Pedro tan gran Teología,
"	XXXVI,1	Leño felice, que el gran poderío
"	XXXVI,10	por fuerza insigne e gran estatura,
"	XLI,2	al rey don Sancho, e con gran sentido
grande	X,6	según su aspecto e grande resplandor:
grandes	XXI,10	mis grandes cuitas, mis penas, mis males,
"	XXX,11	a quien se humillan los grandes señores,
"	XXXVIII,6	en la cual grandes tiempos ha que ardía,
gratamente	XXXVI,6	mas leda e gratamente sin dudar,
grato	X,9	El su fablar grato dulce, amoroso,
"	XXXIX,8	que a Dios fue grato e al mundo bienquisto,
grave	VIII,10	e sea oculta mi grave dolencia,
"	XXXVIII,8	e mi grave langor en alegría.
graveza	XII,4	de mortal pena, congoxa e graveza;
gros	XXI,11	sean por partes o siquiera en gros?
Guadalquivir	XII,13	sólo Guadalquivir tiene poder
Guadiana	XII,12	la enferma Guadiana, nin lo creo:
guarda	XL,5	gracias te fago, mi guarda especial,
guardando	XXXVII,6	de aquel pobre seráfico; e guardando
guardaste	XL,6	ca me guardaste fasta en este día
guarir	XII,14	de me guarir e sólo aquél deseo.
guerra	XVII,7	mi triste vida, porque la mi guerra
"	XVIII,14	peor es guerra que non lid campal.
guerrea	XXXVIII,11	a quien adoro, sirvo e me guerrea,
guerreros	XXIV,8	abominables a todos guerreros.
guía	XL,8	nuestro adversario, e fuste la mi guía:
guisa	XVIII,1	Non de otra guisa el índico serpiente
ha	IV,7	mas la mi pena jamás ha folgura
"	XXX,4	e Calíope fuelga e ha reposo.
"	XXXVIII,6	en la cual grandes tiempos ha que ardía,

habré	VIII,5	Por ventura será que habré reposo
habría	XIX,10	habría ya su curso tardinoso,
hacerio	XXV,8	e tus loores tornados hacerio.
han	VIII,12	e sus langores non han resistencia?
hayades	XXIX,7	faced que hayades las gentes en grado;
hayas	XL,9	e así te ruego, ángel, hayas cura
he	IV,5	Paces he visto aprés de gran rotura
"	X,7	así que punto yo non he vigor
Helena	VI,2	segunda Helena, templo de beldad,
Hemisferio	XXV,1	Oy, ¿qué diré de tí, triste Hemisferio,
Hércules	III,12	nin Hércules se falla tanto digno
"	XXXII,13	fustas sin cuento; Hércules primero,
Heretina	II,3	cuando solemnizaban a Heretina
hermana	XXXV,8	del seráfico sol muy digna hermana.
"	XLI,1	Lloró la hermana, maguer que enemiga,
hermano	XLI,5	¡Oh dulce hermano! Pues que tanto amiga
Hero	XIII,13	murió Leandro en el mar por Hero;
Hispalis	XXXII,3	fermosa Hispalis, sola por fazaña,
Hispán	XXXII,14	Hispán e Julio son vuestros patrones.
hombre	XXVI,3	del que se quiso por nos facer hombre,
honesta	IX,10	es adorada, e honesta destreza,
"	XL,13	honesta vida e muerte me procura,
honesto	X,13	honesto e manso, e su continente,
honor	VI,1	¡Oh dulce esguarde, vida e honor mía,
honoramos	XXXIV,9	Por todos estos premios te honoramos
honores	XXIII,14	e los honores del carro triunfante.
"	XXVIII,12	de poco es farta, nin procura honores:
honrados	II,2	en los honrados templos de Laurencia,
hora	I,4	el punto e hora que tanta belleza
"	XXVIII,3	la hora, el punto! Sea tal engaño
hora (agora)	XXXV,14	pues hora ora pro me, beata Clara,
Hortulana	XXXV,2	luna de Asís, e fija de Hortulana,
hoy	XXXVIII,2	por el festival don, es hoy la mía,
humana	IX,2	cautiva e prende toda gente humana;
humanal	IV,4	trasmuda e troca del geno humanal.
"	XXVIII,7	corta la tela del humanal paño:
"	XXXIII,2	vistió la forma de humanal librea,
humanidad	X,11	e modo nuevo en humanidad:
humano	XV,5	Pues si el ingenio humano es más sutil
humilde	XXXV,7	pobreza humilde, e closo alamud,
humillan	XXX,11	a quien se humillan los grandes señores,
iba	XXXVI,3	en cuyo pomo iba el señorío
Idea	XXXIII,4	a quien contempla como a santa Idea:
"	XLII,13	e conseguirte, dulce mía Idea,
ídola	IV,9	Por ventura dirás, ídola mía,
igual	I,7	mas luego torno con igual tristura,
"	XVII,13	sinon vos sola sin par nin igual,
igualdad	XXV,12	¿Do es justicia, templanza, igualdad,
iguales	XIX,6	ambas dos cosas juzgo ser iguales:
imagen	II,8	la vuestra imagen e deal presencia,
"	V,14	e non se tema de imagen benigna.
"	VII,11	la vuestra imagen e forma divina,
"	XXIII,10	la cual yo llamo imagen de muerte,
impida	XIII,9	Non vos impida duda nin temor
impidiere	XXVII,4	quien lo impidiere; ca si lo mirades,
imploramos	XXXIX,9	Mas imploramos a vuestra clemencia,
incesante	XLII,14	e mi dolor acerbo e incesante.

liga	XLI,4	servando en acto la fraternal liga.
ligados	VII,5	Eran ligados de un verdor placiente
ligan	VIII,8	ligan mis fuerzas con perno amoroso?
limitar	XXVIII,1	¡Non es a nos de limitar el año,
Livio	XXXI,2	e non dudaba Livio, si quisiera,
llaga	II,9	cuando la llaga o mortal ferida
"	XIV,14	tal es la llaga del dardo amoroso.
llagó	II,10	llagó mi pecho con dardo amoroso:
llamo	XXIII,10	la cual yo llamo imagen de muerte,
"	XXVII,3	non llamo sabio, mas a mi ver loco,
lloran	XIV,2	plañen e lloran, recelando el mal:
llorar	XLI,7	de te llorar, plañir e lamentar
lloren	XLII,9	Non lloren la tu muerte, maguer sea
lloro	I,12	Así que lloro mi servicio indigno
"	XXX,5	Yo plango e lloro non ser comendada
lloró	XLI,1	Lloró la hermana, maguer que enemiga,
lo	XII,12	la enferma Guadiana, nin lo creo:
"	XIII,10	de daño mío, ca yo non lo espero;
"	XVIII,13	e si lo denegades, acabadme:
"	XIX,13	vos lo sabedes, después del reposo
"	XX,13	e se maldice porque lo asayó,
"	XXVII,4	quien lo impidiere; ca si lo mirades,
"	XXVII,4	quien lo impidiere; ca si lo mirades,
"	XXVIII,11	naturaleza, si bien lo entendemos,
"	XXIX,12	en todas cosas ser lo más del fecho:
"	XXXII,8	cuanto loable sois a quien lo siente.
"	XXXVII,11	sábenlo Siena, Ferrara e Urbino.
loa	XX,10	se jacta e loa, porque vos amó,
loable	XXXI,14	cuanto es loable, bueno e diligente.
"	XXXII,8	cuanto loable sois a quien lo siente.
loar	I,6	ca sólo de loar es la pureza;
"	XVIII,7	son loarvos e amarvos solamente,
"	XXXIII,8	pero mi lengua loar te desea.
loaremos	XXIV,13	pues loaremos los que bien obraron,
loca	I,13	e la mi loca fiebre, pues que veo
"	IV,11	antes repruebas mi loca porfía.
loco	XXVII,3	non llamo sabio, mas a mi ver loco,
loo	I,3	formaron, loo mi buena ventura,
loó	VII,9	Loó mi lengua, maguer sea indigna,
loor	IX,8	de quien Ovidio gran loor explana.
loores	XXV,8	e tus loores tornados hacerio.
"	XXX,9	¿por qué non cantan los vuestros loores
los	VII,6	e flores de jazmín, que los ornaba;
los	XX,3	e los movía con viril deseo,
los	XX,6	los retornaba con modulaciones
"	XXII,2	de Galilea, cuando los dexó
luce	XXX,1	Calla la pluma e luce la espada
luciente	VII,1	Non es el rayo de Febo luciente,
luego	I,7	mas luego torno con igual tristura,
"	XVII,5	Mas luego vuelvo e aquesto me atierra,
"	XX,12	Mas luego pronto e presto se entristece
luengas	XXI,3	por luengas vías e caminos varios,
lugar	XXXVII,8	lugar eterno, do vives triunfando.
luminosos	VII,3	que los vuestros cabellos luminosos,
luna	XXXV,2	luna de Asís, e fija de Hortulana,
Maestro	XXII,3	nuestro Maestro; mas sus corazones
magnos	XX,2	a los extrenuos e magnos varones,

magra	XXVII,10	magra la cara, desnudo e fambriento,
maguer	III,6	que ya me sobran, maguer me defenso.
"	VII,9	Loó mi lengua, maguer sea indigna,
"	XXIV,11	non es en duda, maguer que callaron,
"	XLI,1	Lloró la hermana, maguer que enemiga,
"	XLII,9	Non lloren la tu muerte, maguer sea
mal (s.)	IV,6	atarde tura el bien, nin face el mal;
"	XIV,2	plañen e lloran, recelando el mal:
"	XVI,14	sed el bien mío, pues fuestes mi mal.
"	XVIII,12	de tan gran pena, e sentid mi mal:
mal (a.)	I,9	Ca non fue tanta la del mal Tereo,
"	XII,7	la mi vida me fuye, mal mi grado,
"	XLI,3	procedió presto contra el mal Bellido,
mala	XLI,10	de la mala fortuna, e molestada!
maldice	XX,13	e se maldice porque lo asayó,
males	XIX,8	vuestro soy todo e míos son mis males.
"	XXI,7	nin los mis males menos adversarios
"	XXI,10	mis grandes cuitas, mis penas, mis males,
maligna	V,12	nin la nefanda soberbia maligna;
maligno	XLII,5	mas al abismo e centro maligno
malos	XXXIV,3	de los ángeles malos damnación,
mana	XXXV,6	perseverante, e fuente, de do mana
manda	IV,14	e rije e manda nuestro entendimiento?
"	V,1	Fedra dio regla e manda que en amor,
mando	VI,3	so cuya mano, mando e señoría
"	X,2	a cuyo mando me sojuzgó amor,
"	XV,14	e mando universal en toda gente.
"	XVI,7	absoluto es a mí vuestro gran mando,
manera	XXXI,5	Por cierto al universo la manera
mano	V,7	pues osa, mano mía, e sin temor
"	VI,3	so cuya mano, mando e señoría
"	XXX,2	en vuestra mano, rey muy virtüoso;
mansa	XXXVIII,7	en mansa calma, tranquila e serena,
manso	X,13	honesto e manso, e su continente,
"	XXIX,5	Con bulto alegre, manso e reposado
manto	XXI,4	temiendo el manto de la sepultura;
mar	XIII,13	murió Leandro en el mar por Hero;
"	XXXVI,4	de cielos, tierras, arenas e mar:
maravilla	X,10	es una maravilla ciertamente,
marfil	XV,1	Traen los cazadores al marfil
mas (c.)	I,7	mas luego torno con igual tristura,
"	IV,7	mas la mi pena jamás ha folgura
"	VI,13	mas vivo alegre con quien me refuye;
"	XI,8	ínfima carcel, mas celeste amor.
"	XI,10	mas ánimo gentil atarde olvida,
"	XIV,5	mas, qué será de mí que las mis penas,
"	XIV,12	El cuerdo acuerda, mas non el sandío;
"	XV,8	non digo á fortiori, mas de grado?
"	XVI,10	mas yo non penas, por vos ser leal,
"	XVII,5	Mas luego vuelvo e aquesto me atierra,
"	XVII,8	non fue de paso, mas es de morada.
"	XX,12	Mas luego pronto e presto se entristece
"	XXII,3	nuestro Maestro; mas sus corazones
"	XXIV,6	mas virtüosos e de caballeros;
"	XXVII,3	non llamo sabio, mas a mi ver loco,
"	XXXI,13	mas conseguidla, tolliendo tardanza
"	XXXII,6	vana apariencia, mas juzgo patente

"	XII,7	la mi vida me fuye, mal mi grado,
"	XII,7	la mi vida me fuye, mal mi grado,
"	XII,10	la sed ardiente de mi gran deseo
"	XIII,4	soy e posee la mi voluntad:
"	XIII,6	es la mi barca veloce, cuitad
"	XVI,14	sed el bien mío, pues fuestes mi mal.
"	XVII,7	mi triste vida, porque la mi guerra
"	XVII,7	mi triste vida, porque la mi guerra
"	XVIII,12	de tan gran pena, e sentid mi mal:
"	XIX,14	de mi triste yacija congoxada.
"	XXVII,3	non llamo sabio, mas a mi ver loco,
"	XXXIII,8	pero mi lengua loar te desea.
"	XXXVIII,8	e mi grave langor en alegría.
"	XL,5	gracias te fago, mi guarda especial,
"	XL,8	nuestro adversario, e fuste la mi guía:
"	XL,10	del curso de mi vida e brevedad:
"	XL,12	ca mucho es débil mi fragilidad:
"	XLII,11	mas la mi triste vida, que desea
"	XLII,14	e mi dolor acerbo e incesante.
"	XIV,5	mas, qué será de mí que las mis penas,
mí (p.)	XVI,7	absoluto es a mí vuestro gran mando,
"	XIX,3	concurriesen en mí, non cesaré
"	XXII,5	por mí sabidas vuestras estaciones,
"	XXXVII,14	por mí te ruego ruegues, Bernaldino.
mía	III,7	Pues, ¿qué farás, oh triste vida mía,
"	IV,9	Por ventura dirás, ídola mía,
"	V,7	pues osa, mano mía, e sin temor
"	VI,1	¡Oh dulce esguarde, vida e honor mía,
"	XXV,2	oh patria mía, ca veo del todo
"	XXXIII,14	tus alabanzas en la lengua mía.
"	XXXVIII,2	por el festival don, es hoy la mía,
"	XL,4	fuste enviado por custodia mía:
"	XLII,13	e conseguirte, dulce mía Idea,
Miguel	XXXIV,4	Miguel arcángel, duque glorioso;
mil	XXVIII,10	nin es servida con mil servidores:
militante	XXXII,11	el brazo militante caballero;
mina	XXVII,7	sentir la mina, que pro tiene o presta,
ministros	I,11	falsos ministros de ti, Tolomeo.
mío	III,4	nin el ánimo mío está suspenso
"	VI,4	es el arbitrio mío e voluntad!
"	VIII,3	mío es el daño e suya la mengua
"	XIII,3	do es aquella, cuyo más que mío
"	XIII,10	de daño mío, ca yo non lo espero;
"	XIV,9	Mas emprentadas el ánimo mío
"	XVI,2	non el ánimo mío, nin se crea;
"	XVI,14	sed el bien mío, pues fuestes mi mal.
"	XX,9	así el ánimo mío se altivece,
míos	XIX,8	vuestro soy todo e míos son mis males.
mirades	XXVII,4	quien lo impidiere; ca si lo mirades,
mirar	X,8	de mirar fixo su deal persona.
miras	XXXVII,4	solares miras fixo, non vagando:
miro	XXVII,9	Ca si bien miro, yo veo a Sinón,
mis	II,7	vieron mis ojos en forma divina
"	VI,10	las mis extrañas con fuego amoroso,
"	VIII,6	cuando recontaré mis vexaciones
"	VIII,8	ligan mis fuerzas con perno amoroso?
"	XIV,5	mas, ¿qué será de mí que las mis penas,

"	XVIII,4	cualquiera relación de mis servicios.
"	XVIII,6	mis pensamientos e mis exercicios
"	XVIII,6	mis pensamientos e mis exercicios
"	XIX,8	vuestro soy todo e míos son mis males.
"	XXI,7	nin los mis males menos adversarios
"	XXI,10	mis grandes cuitas, mis penas, mis males,
"	XXI,10	mis grandes cuitas, mis penas, mis males,
"	XXI,10	mis grandes cuitas, mis penas, mis males,
"	XXI,13	los mis langores, tantos son e tales!
"	XXII,7	e así non causan las mis aflicciones,
"	XXXVIII,12	e las mis fuerzas del todo sobró;
mitras	XXXVII,12	Nin las sus ricas mitras conmovieron
modo	X,11	e modo nuevo en humanidad:
"	XXV,3	ir todas cosas ultra el recto modo,
"	XXVII,11	e noto el modo de su narración,
modulaciones	XX,6	los retornaba con modulaciones
molestada	XLI,10	de la mala fortuna, e molestada!
morada	XVII,2	non menos la ciudad e la morada,
"	XVII,8	non fue de paso, mas es de morada.
"	XL,3	que de la diva morada eternal
morir	VIII,14	morir callando sea gran ciencia.
moriré	XV,7	si moriré por vos, dona gentil,
morré	XIX,7	por vuestro vivo, por vuestro morré:
mortal	II,9	cuando la llaga o mortal ferida
"	IV,8	nin punto cesa mi langor mortal.
"	XII,4	de mortal pena, congoxa e graveza;
"	XIV,6	cuitas, trabajos e langór mortal
"	XVI,12	que me feristes de golpe mortal.
"	XVII,9	¿Fue visto bello, oh lide tan mortal,
"	XXVI,4	e de infinito mortal e Mexías,
mostraba	II,1	Cual se mostraba la gentil Lavina
"	VII,7	e su perfecta belleza mostraba
mostrad	XXII,10	non me matedes: mostradvos piadosa:
mostró	XXIV,12	o si Metelo se mostró valiente:
movía	XX,3	e los movía con viril deseo,
mucho	III,8	que non alcanzo por mucho que pienso?
"	XVI,9	Bien merecedes vos ser mucho amada;
"	XL,12	ca mucho es débil mi fragilidad:
"	XLII,4	preclara infanta, mujer mucho amada;
muchos	XXXI,10	a muchos, e a pocos la persevranza,
muelle	XXVII,6	la tierra es muelle e la entrada presta:
muera	VIII,9	¿Quieres que muera o viva padeciendo,
"	XIII,12	E si muriere, muera por su amor:
muero	VI,14	siento que muero, e non soy quexoso.
muerta	XXV,7	Por cierto, España, muerta es tu nobleza,
muerte	XII,8	e muerte me persigue sin pereza.
"	XIII,14	partido es dulce al aflicto muerte.
"	XIV,13	la muerte veo, e non me doy cura:
"	XV,2	a padecer la muerte enamorado,
"	XVI,4	integralmente muerte me posea.
"	XXIII,10	la cual yo llamo imagen de muerte.
"	XL,13	honesta vida e muerte me procura,
"	XLI,13	¡Atropos! Muerte me place, e non vida
"	XLII,9	Non lloren la tu muerte, magüer sea
muestran	XXIV,3	se muestran altos, fuertes e viriles,
muestre	V,5	la pluma escriba e muestre el ardor
mueve	XXIII,5	Razón nos mueve, e cierta esperanza

mujer	XLII,4	preclara infanta, mujer mucho amada;
mundo	XXXII,1	Roma en el mundo e vos en España
"	XXXVI,2	que todo el mundo non pudo ayuvar,
"	XXXIX,8	que a Dios fue grato e al mundo bienquisto
"	XXXIX,14	muy glorïosa fue su vida al mundo.
muriere	XIII,12	E si muriere, muera por su amor:
murió	XIII,13	murió Leandro en el mar por Hero;
muro	XXXVII,10	el fuerte muro de tu santidad:
muy	XXX,2	en vuestra mano, rey muy virtüoso;
"	XXXIV,5	muy digno alférez del sacro pendón,
"	XXXV,8	del seráfico sol muy digna hermana.
"	XXXIX,14	muy glorïosa fue su vida al mundo.
naciones	XXXII,12	claras estirpes, diversas naciones,
narración	XXVII,11	e noto el modo de su narración,
naturaleza	I,2	que el cielo, acorde con naturaleza,
"	XXVIII,11	naturaleza, si bien lo entendemos,
nave	XXXVI,13	paso yo pase en nave segura,
nefanda	V,12	nin la nefanda soberbia maligna;
negado	XXIX,1	Porque el largo vivir nos es negado,
niñez	XXXVIII,10	a aquélla que en niñez me conquistó,
ningunas	XXXVII,9	Ningunas dignidades corrompieron
ninguno	XXIX,8	ca ninguno domina sin merced.
noble	XIII,2	que baña en torno la noble ciudad,
"	XXXII,5	Noble por edificios, non me engaña
nobleza	XXV,7	Por cierto, España, muerta es tu nobleza,
noche	III,3	e jamás cesan de noche e de día,
Noé	XIX,1	Si la vida viviese de Noé
nombre	XXVI,2	con los tres nombres juntos con el nombre
"	XXIX,3	que vuestro nombre sea memorado:
"	XXX,6	vuestra eminencia e nombre tan famoso,
"	XXXV,1	Clara por nombre, por obra e virtud
"	XXXVII,2	e santo nombre estás contemplando,
nombres	XXVI,2	con los tres nombres juntos con el nombre
nos	XXIII,5	Razón nos mueve, e cierta esperanza
"	XXIII,8	e nos conduce con gran ordenanza.
"	XXVI,3	del que se quiso por nos facer hombre,
"	XXVIII,1	¡Non es a nos de limitar el año,
"	XXVIII,4	lexos de nos e fuiga toda vía.
"	XXVIII,8	non suenan trompas, nin nos desafía.
"	XXIX,1	Porque el largo vivir nos es negado,
"	XXXIV,13	nos dignifique, por que poseamos
"	XXXIX,11	non se recusen; mas dadnos segundo,
noto	XXVII,11	e noto el modo de su narración,
nuce	XXIII,4	al victorioso nuce la tardanza.
nuciente	XXIV,14	e dexaremos el fablar nuciente.
nuestra	XXIII,6	es el alferce de nuestra bandera,
"	XXVIII,6	la gran bailesa de nuestra bailía
nuestras	XXXIX,10	si serán dignas nuestras santas preces,
nuestro	IV,14	e rije e manda nuestro entendimiento?
"	XXII,3	nuestro Maestro; mas sus corazones
"	XXVIII,5	Cuando menos dudamos nuestro daño
"	XL,8	nuestro adversario, e fuste la mi guía:
nuevo	X,11	e modo nuevo en humanidad:
nunca	XV,10	que nunca vieron la vuestra figura,
obra	XXII,13	cierto faredes obra virtüosa,
"	XXXV,1	Clara por nombre, por obra e virtud
obraron	XXIV,13	pues loaremos los que bien obraron,

obras	XXIX,2	ínclito rey, tales obras faced
oculta	VIII,10	e sea oculta mi grave dolencia,
oficios	XVIII,8	pospuesta cura de todos oficios.
oh	III,7	Pues, ¿qué farás, oh triste vida mía,
"	VI,1	¡Oh dulce esguarde, vida e honor mía,
"	XVII,9	¿Fue visto bello, oh lide tan mortal,
"	XXV,2	oh patria mía, ca veo del todo
"	XXXV,13	de los santos, oh santa sacra e alma;
"	XXXVII,1	Oh ánima devota, que en el signo
"	XLI,5	¡Oh dulce hermano! Pues que tanto amiga
"	XLI,9	¡Oh real casa, tanto perseguida
oíd	XVIII,9	Oídme agora después condenadme,
"	XXVII,13	pues oíd e creed a Licaón,
"	XXIX,6	oíd a todos, librad e proveed:
oístes	XXVI,12	que de Bizancio por letras oístes?
ojos	II,7	vieron mis ojos en forma divina
oliva	XVI,13	Sed el oliva, pues fuestes la espada;
olvida	XI,10	mas ánimo gentil atarde olvida,
olvidar	XI,9	Pues, ¿qué diré? Remedio es olvidar;
omnipotente	XXXIV,12	que ruegues al señor omnipotente
ondas	XIII,1	Doradas ondas del famoso río
ora	XXXV,14	pues hora ora pro me, beata Clara.
orden	XXXVII,7	el orden suyo, ganaste el divino
ordenada	XXXIX,1	De sí mesma comienza la ordenada
ordenamiento	IV,12	Di, ¿qué faremos al ordenamiento
ordenanza	XXIII,8	e nos conduce con gran ordenanza.
Oriente	VII,8	cual viva flama o estrella de Oriente.
ornaba	VII,6	e flores de jazmín, que los ornaba;
ornado	XV,4	claro e fermoso, compuesto e ornado.
osa	V,7	pues osa, mano mía, e sin temor
osada	V,2	cuando la lengua non se falla osada
oscura	XXI,8	que la tisera de Atropos oscura?
otorgada	XLII,6	te seguiría, si fuese otorgada
otra	XVIII,1	Non de otra guisa el índico serpiente
otro	XV,6	que otro alguno, seré yo culpado
"	XXI,14	nin otro alguno, sinon Dios e vos.
Ovidio	IX,8	de quien Ovidio gran loor explana.
oy(e)	XXV,1	Oy, ¿qué diré de ti, triste Hemisferio,
paces	IV,5	Paces he visto aprés de gran rotura
"	XVII,10	do non se viesen paces o sufrencia?
padecer	XV,2	a padecer la muerte enamorado,
padeciendo	VIII,9	¿Quieres que muera o viva padeciendo,
padezco	XVI,11	cuantas padezco desde la jornada
palabras	XXIV,1	Non en palabras ánimos gentiles,
palma	XXXV,10	e glorioso premio de la palma:
paño	XXVIII,7	corta la tela del humanal paño:
par	XVII,13	sinon vos sola sin par nin igual,
parece	II,5	e cual parece flor de clavellina
partes	XIX,11	o las dos partes de la su jornada
"	XXI,11	sean por partes o siquiera en gros?
partidas	XXV,11	son de las tus regiones e partidas.
partido	XIII,14	partido es dulce al aflicto muerte.
partir	XIX,5	Ca partirme de vos o de la fe,
pasaste	XXXVI,7	en el tu cuello le pasaste el río,
pase	XXXVI,13	paso yo pase en nave segura,
paso	II,13	Alegre paso la pena indebida;
paso	XVII,8	non fue de paso, mas es de morada.

"	XXXVI,13	paso yo pase en nave segura,
pastor	XXVI,5	el pastor, cuyo carmen todos días
patente	XXXII,6	vana apariencia, mas juzgo patente
patria	XXIV,10	por el bien de la patria, ciertamente
"	XXV,2	oh patria mía, ca veo del todo
patrón	XXXIV,1	Del celestial exército patrón
patrona	XXIII,7	e justicia patrona e delantera;
patrones	XXXII,14	Hispán e Julio son vuestros patrones.
pecho	II,10	llagó mi pecho con dardo amoroso:
"	XXIX,14	que es de los reyes glorïoso pecho.
Pedro	XXXIII,10	Jacobo e Pedro tan gran Teología,
pelo	XVI,1	Si el pelo por ventura voy trocando,
pena (s.)	II,13	Alegre paso la pena indebida;
"	IV,7	mas la mi pena jamás ha folgura
"	V,3	a demostrar la pena o la dolor,
"	VI,11	e la mi pena jamás disminuye,
"	XI,3	e non poco me pena vuestra pena,
"	XII,4	de mortal pena, congoxa e graveza;
"	XVIII,12	de tan gran pena, e sentid mi mal:
"	XXXVIII,1	Si ánima alguna tú sacas de pena
pena (v.)	XI,3	e non poco me pena vuestra pena,
penas	XIV,5	mas, que será de mí que las mis penas,
"	XVI,10	mas yo non penas, por vos ser leal,
"	XXI,10	mis grandes cuitas, mis penas, mis males,
pendón	XXXIV,5	muy digno alférez del sacro pendón,
Penea	IX,7	nin fizo Dido, nin Damne Penea,
pensad	XXIII,12	pensad las causas por qué las sufrides;
pensades	XXI,5	¿Son, si pensades, menores contrarios
pensamientos	XVIII,6	mis pensamientos e mis exercicios
pensando	XVII,6	pensando cuánto es infortunada
peña	IV,1	El agua blanda en la peña dura
peor	XVIII,14	peor es guerra que non lid campal.
perdimiento	IV,10	que a ti non place del mi perdimiento;
peregrino	I,14	e me fallo cansado e peregrino.
"	XXXIII,7	indocto soy e laso peregrino;
pereza	V,13	pues vaya lexos inútil pereza
"	XII,8	e muerte me persigue sin pereza.
"	XIX,9	La saturnina pereza acabado
perfecta	VII,7	e su perfecta belleza mostraba,
perfecto	XXXVII,5	serás perfecto e discípulo digno
perla	VII,12	tal como perla e claro rubí,
perno	VIII,8	ligan mis fuerzas con perno amoroso?
pero	XI,12	Pero deseo consume la vida:
"	XXXIII,8	pero mi lengua loar te desea.
perseguida	XLI,9	¡Oh real casa, tanto perseguida
perseverante	XXXV,6	perseverante, e fuente, de do mana
perseveranza	XXXI,10	a muchos, e a pocos la persevranza,
persigue	XII,8	e muerte me persigue sin pereza.
persona	X,8	de mirar fixo su deal persona.
pesada	VIII,2	tristes suspiros, la pesada lengua:
"	XXX,7	e redarguyo la mente pesada
pescador	XXXVIII,3	pescador santo, uno de la cena
piadosa	XXII,10	non me matedes: mostradvos piadosa:
picos	XXVII,5	los picos andan, pues si non velades,
piedra	XIV,10	las tiene, como piedra la figura,
piense	XXVIII,14	nin piense alguno servir dos señores.
pienses	V,9	E non te pienses que tanta belleza

"	VI,7	E non te pienses fuya tu valía
pienso	III,8	que non alcanzo por mucho que pienso?
"	XLI,11	Non pienso Juno que más encendida
place	IV,10	que a ti non place del mi perdimiento;
"	XLI,13	¡Atropos! Muerte me place, e non vida
placiente	VII,5	Eran ligados de un verdor placiente
"	IX,12	coro placiente do virtud se reza,
plango	I,8	e plango e quéxome de su crüeza.
"	XXX,5	Yo plango e lloro non ser comendada
planicies	XVII,3	sean planicies o campos o sierra,
plañen	XIV,2	plañen e lloran, recelando el mal:
plañir	XLI,7	de te llorar, plañir e lamentar
plugo	XXXI,6	plugo, e se goza en gran cantidad
pluma	V,5	la pluma escriba e muestre el ardor
"	XXX,1	Calla la pluma e luce la espada
pobre	XII,2	pobre de gozo e rico de tristeza,
"	XXXVII,6	de aquel pobre seráfico; e guardando
pobredad	XXXVII,13	las tus inopias, nin tu pobredad:
pobreza	XXXV,7	pobreza humilde, e closo alamud,
pocas	XXXI,3	que en pocos días o pocas semanas
poco	XI,3	e non poco me pena vuestra pena,
"	XXVII,2	como conviene, non se fará poco:
"	XXVIII,12	de poco es farta, nin procura honores:
"	XXX,8	de los vivientes, non poco enojoso;
pocos	XXXI,3	que en pocos días o pocas semanas
"	XXXI,10	a muchos, e a pocos la persevranza,
poder	III,2	me veo en torno, e con poder inmenso,
"	XII,13	sólo Guadalquivir tiene poder
poderes	XV,13	nin los poderes de la fermosura
poderío	XIII,5	pues que en el vuestro lago e poderío
"	XXXVI,1	Leño felice, que el gran poderío
poderoso	XXXIV,8	en virtud del excelso poderoso.
podre	XLI,6	jamás te fui, como podré celar
podría	XXI,9	Pues, ¿quién podría o puede quïetar
"	XXI,12	Nin Esculapio podría curar
pomo	XXXVI,3	en cuyo pomo iba el señorío
pompeana	XXIII,2	la temerosa gente pompeana:
porfía	III,5	de sus combates, con tanta porfía
"	IV,11	antes repruebas mi loca porfía.
"	VI,5	Yo soy tu prisionero, e sin porfía
porque	XVII,7	mi triste vida, porque la mi guerra
"	XVIII,5	Porque sabedes, presente o ausente,
"	XX,10	se jacta e loa, porque vos amó,
"	XX,13	e se maldice porque lo asayó,
"	XXIX,1	Porque el largo vivir nos es negado,
posea	XVI,4	integralmente muerte me posea.
poseamos	XXXIV,13	nos dignifique, por que poseamos
posee	XIII,4	soy e posee la mi voluntad:
poseyera	XXXI,4	a Roma, con Italia, poseyera.
pospuesta	XVIII,8	pospuesta cura de todos oficios.
prea	XVI,6	vos me prendistes, e soy vuestra prea:
precedente	XXXIV,14	la gloria, a todas glorias precedente.
preces	XXXIX,10	si serán dignas nuestras santas preces,
precioso	XXXIV,2	e del segundo coro más precioso,
preclara	XLII,4	preclara infanta, mujer mucho amada;
premio	XXXV,10	e glorïoso premio de la palma:
premios	XXXIV,9	Por todos estos premios te honoramos

prende	IX,2	cautiva e prende toda gente humana;
prendistes	XVI,6	vos me prendistes, e soy vuestra prea:
presencia	II,8	la vuestra imagen e deal presencia,
presentad	XIII,8	e presentadme a la su beldad.
presente	XII,11	Tajo al presente, nin me socorrer
"	XVIII,5	Porque sabedes, presente o ausente,
presentes	XXV,13	prudencia e fortaleza?¿Son presentes?
presión	III,13	que resistir pudiesen tal presión;
presta	XXVII,6	la tierra es muelle e la entrada presta:
"	XXVII,7	sentir la mina, que pro tiene o presta,
presto	XX,12	Mas luego pronto e presto se entristece
"	XLI,3	procedió presto contra el mal Bellido,
primer	XVII,4	donde vos vi yo la primer jornada.
primero	VII,10	aquel buen punto que primero vi
"	XXXII,13	fustas sin cuento; Hércules primero,
príncipe	XXXIV,10	e veneramos, príncipe excelente;
principio	XXIX,11	pues que el principio es cierto, e sabemos
"	XXXV,5	principio de alto bien, en juventud
prisionero	VI,5	Yo soy tu prisionero, e sin porfía
prisiones	VIII,7	a aquella a quien sus crüeles prisiones
priva	IV,13	de amor, que priva toda señoría,
pro	XXVII,7	sentir la mina, que pro tiene o presta,
"	XXXV,14	pues hora ora pro me, beata Clara.
procedió	XLI,3	procedió presto contra el mal Bellido,
procura	XXVIII,12	de poco es farta, nin procura honores:
"	XL,13	honesta vida e muerte me procura,
pronto	II,11	la cual me mata en pronto e da la vida,
"	XX,12	Mas luego pronto e presto se entristece
próspero	XIV,1	En el próspero tiempo las sirenas
provea	XXXIII,6	la gracia del tu fijo me provea:
proveed	XXIX,6	oíd a todos, librad e proveed:
prudencia	XXV,13,	prudencia e fortaleza?¿Son presentes?
prudente	XXXI,11	pues de los raros, sed vos, rey prudente.
pudiera	XXXIII,11	nin el asna pudiera de Balam,
pudiesen	III,13	que resistir pudiesen tal presión;
pudo	XXXVI,2	que todo el mundo non pudo ayuvar,
puede	XVI,3	nin puede ser, nin será fasta cuando
"	XXI,9	Pues, ¿quién podría o puede quietar
"	XXXIII,13	Pues el que puede, fable sin afán
pues	I,13	e la mi loca fiebre, pues que veo
"	III,7	Pues, ¿qué farás, oh triste vida mía,
"	V,7	pues osa, mano mía, e sin temor
"	V,13	pues vaya lexos inútil pereza
"	XI,9	Pues, ¿qué diré? Remedio es olvidar;
"	XIII,5	pues que en el vuestro lago e poderío
"	XV,5	Pues si el ingenio humano es más sutil
"	XVI,13	Sed el oliva, pues fuestes la espada;
"	XVI,14	sed el bien mío, pues fuestes mi mal.
"	XXI,9	Pues, ¿quién podría o puede quietar
"	XXIV,13	pues loaremos los que bien obraron,
"	XXVI,9	Pues vos, los reyes, los emperadores,
"	XXVII,5	los picos andan, pues si non velades,
"	XXVII,13	pues oíd e creed a Licaón,
"	XXVIII,9	Pues non sirvamos a quien non debemos
"	XXIX,11	pues que el principio es cierto, e sabemos
"	XXXI,11	pues de los raros, sed vos, rey prudente.
"	XXXIII,13	Pues el que puede, fable sin afán

"	XXXV,14	pues hora ora pro me, beata Clara.
"	XXXVIII,9	Pues me traíste, Señor, donde yo vea
"	XLI,5	¡Oh dulce hermano! Pues que tanto amiga
pungido	XVII,12	que non fuese pungido de conciencia
punto	I,4	el punto e hora que tanta belleza
"	IV,8	nin punto cesa mi langor mortal.
"	VI,12	nin punto fuelgo, nin soy en reposo,
"	VII,10	aquel buen punto que primero vi
"	X,7	así que punto yo non he vigor
"	XIV,7	jamás alternan nin son punto ajenas,
"	XVI,5	Yo me vos di, e non punto dudando
"	XVII,14	do yo non fallo punto de clemencia?
"	XXII,4	non se turbaron punto más que yo,
"	XXIV,5	Sean sus actos non punto civiles,
"	XXVIII,3	la hora, el punto! Sea tal engaño
pureza	I,6	ca sólo de loar es la pureza;
que (c.)	I,12	Así que lloro mi servicio indigno
"	I,13	e la mi loca fiebre, pues que veo
"	III,6	que ya me sobran, maguer me defenso.
"	III,8	que non alcanzo por mucho que pienso?
"	III,8	que non alcanzo por mucho que pienso?
"	III,13	que resistir pudiesen tal presión;
"	III,14	así que a defensar me fallo indigno.
"	IV,10	que a tí non place del mi perdimiento;
"	V,1	Fedra dio regla e manda que en amor,
"	V,9	E non te pienses que tanta belleza
"	VI,9	Verdad sea que amor gasta e destruye
"	VI,14	siento que muero, e non soy quexoso.
"	VII,3	que los vuestros cabellos luminosos,
"	VIII,4	que yo así viva jamás congoxoso.
"	VIII,5	Por ventura será que habré reposo
"	VIII,9	¿Quieres que muera o viva padeciendo,
"	X,5	o que ella sea fija de Latona,
"	X,7	así que punto yo non he vigor
"	XIII,3	do es aquélla, cuyo más que mío
"	XIII,5	pues que en el vuestro lago e poderío
"	XI,5	Cierto bien siento que non fue terrena
"	XIV,5	mas, que será de mí que las mis penas,
"	XV,6	que otro alguno, seré yo culpado
"	XVI,8	cuando vos veo o que non vos vea.
"	XVIII,11	que los leales: e si tal, sacadme
"	XVIII,14	peor es guerra que non lid campal.
"	XIX,4	de vos servir, leal más que leales.
"	XX,1	Cuéntase que esforzaba Timoteo
"	XXI,8	que la tisera de Atropos oscura?
"	XXII,4	non se turbaron punto más que yo,
"	XXIII,12	pensad las causas por qué las sufrides;
"	XXIV,11	non es en duda, maguer que callaron,
"	XXV,14	por cierto non: que lexos son füidas.
"	XXIX,3	que vuestro nombre sea memorado;
"	XXIX,7	faced que hayades las gentes en grado;
"	XXIX,9	Como quiera que sea, comendemos
"	XXIX,11	pues que el principio es cierto, e sabemos
"	XXX,9	¿por qué non cantan los vuestros loores
"	XXXI,3	que en pocos días o pocas semanas
"	XXXIV,12	que ruegues al señor omnipotente
"	XXXIV,13	nos dignifique, por que poseamos

"	XXXVI,11	de quien yo fago conmemoración;
"	XXXVIII,11	a quien adoro, sirvo e me guerrea,
"	XXXVIII,13	a quien deseo, e non me desea,
"	XXXVIII,14	a quien me mata, aunque suyo so.
quiera	XXIX,9	Como quiera que sea, comendemos
quieres	VIII,9	¿Quieres que muera o viva padeciendo,
quietar	XXI,9	Pues, ¿quién podría o puede quietar
quisiera	XXXI,2	e non dudaba Livio, si quisiera,
quisistes	XXXIX,5	quisistes que fuese confirmada
quiso	XXVI,3	del que se quiso por nos facer hombre,
radío	XIII,7	con todas fuerzas e curso radío
raros	XXXI,11	pues de los raros, sed vos, rey prudente.
rayo	VII,1	Non es el rayo de Febo luciente,
rayos	XXXVII,3	e los sus rayos con viso aquilino
razón	XXIII,5	Razón nos mueve, e cierta esperanza
razona	X,4	vieron la gran claror que se razona,
Rea	IX,3	del ánimo gentil de Rea, mate,
real	XLI,9	¡Oh real casa, tanto perseguida
recelando	XIV,2	plañen e lloran, recelando el mal:
receptada	XLII,2	donde yo creo seas receptada,
recibistes	XXVI,10	cuantos el santo crisma recibistes,
recontare	VIII,6	cuándo recontaré mis vexaciones
recto	XXV,3	ir todas cosas ultra el recto modo,
recuerde	XXIII,9	Recuérdevos la vida que vivides,
recusen	XXXIX,11	non se recusen; mas dadnos segundo,
redarguyo	XXX,7	e redarguyo la mente pesada
refiriendo	XXIX,13	e refiriendo gracias, vos amemos;
refuye	VI,13	mas vivo alegre con quien me refuye;
regiones	XXV,11	son de las tus regiones e partidas.
regla	V,1	Fedra dio regla e manda que en amor,
relación	XVIII,4	cualquiera relación de mis servicios.
religiones	XXXII,10	sacras reliquias, santas religiones,
reliquias	XXXII,10	sacras reliquias, santas religiones,
remedio	XI,9	Pues, ¿qué diré? Remedio es olvidar;
reparades	XXVII,8	nin ver el daño, si non reparades.
reposaba	XX,8	e reposaba los sus corazones:
reposado	XXIX,5	Con bulto alegre, manso e reposado
reposo	II,14	ardiendo en fuego, me fallo en reposo.
"	VI,12	nin punto fuelgo, nin soy en reposo,
"	VIII,5	Por ventura será que habré reposo
"	IX,11	silla e reposo de la fermosura;
"	X,12	el andar suyo es con tal reposo,
"	XII,3	fallido de reposo e abastado
"	XIV,11	fixas, estables, sin algún reposo.
"	XIX,13	vos lo sabedes, después del reposo
"	XXX,4	e Calíope fuelga e ha reposo.
repruebas	IV,11	antes repruebas mi loca porfía.
resistencia	VIII,12	e sus langores non han resistencia?
resistir	III,13	que resistir pudiesen tal presión;
resplandor	X,6	según su aspecto e grande resplandor:
retornaba	XX,6	los retornaba con modulaciones
rey	XXIX,2	ínclito rey, tales obras faced
"	XXX,2	en vuestra mano, rey muy virtüoso;
"	XXXI,11	pues de los raros, sed vos, rey prudente.
"	XLI,2	al rey don Sancho, e con gran sentido
reyes	XXVI,9	Pues vos, los reyes, los emperadores,
"	XXIX,14	que es de los reyes glorïoso pecho.

sea	VI,9	Verdad sea que amor gasta e destruye
"	VII,9	Loó mi lengua, maguer sea indigna,
"	VIII,10	e sea oculta mi grave dolencia,
"	VIII,14	morir callando sea gran ciencia.
"	X,5	o que ella sea fija de Latona,
"	XIV,8	sea destino o curso fatal?
"	XXVIII,3	la hora, el punto! Sea tal engaño
"	XXIX,3	que vuestro nombre sea memorado:
"	XXIX,9	Como quiera que sea, comendemos
"	XXXI,9	Si la gracia leemos sea dada
"	XLII,9	Non lloren la tu muerte, maguer sea
sean	XVII,3	sean planicies o campos o sierra,
"	XXI,11	sean por partes o siquiera en gros?
"	XXIII,11	e tantas menguas sean vos delante:
"	XXIV,5	Sean sus actos non punto civiles,
"	XXVI,13	Enxemplo sean a tantos señores
seas	XLII,2	donde yo creo seas receptada,
sed (ser)	XVI,13	Sed el oliva, pues fuestes la espada;
"	XVI,14	sed el bien mío, pues fuestes mi mal.
"	XXXI,11	pues de los raros, sed vos, rey prudente.
sed	XII,10	la sed ardiente de mi gran deseo
sedienta	XXI,2	con gran deseo e sedienta cura
seguiría	XLII,6	te seguiría, si fuese otorgada
según	X,6	según su aspecto e grande resplandor:
"	XXXIX,6	por consistorio, según vos fue visto:
"	XLII,3	según tu santo ánimo e benigno,
segunda	VI,2	segunda Helena, templo de beldad,
segundo	XXXIV,2	e del segundo coro más precioso,
"	XXXIX,11	non se recusen; mas dadnos segundo,
segura	XXXVI,13	paso yo pase en nave segura,
semana	XXVIII,2	el mes, nin la semana, nin el día,
semanas	XXXI,3	que en pocos días o pocas semanas
semblantes	XXIV,2	non en menazas nin semblantes fieros
sentencia	XXXIX,12	canonizado por vulgar sentencia,
sentid	XVIII,12	de tan gran pena, e sentid mi mal:
sentides	XXVI,11	¿sentides, por ventura, los clamores
sentido	XLI,2	al rey don Sancho, e con gran sentido
sentir	XXVII,7	sentir la mina, que pro tiene o presta,
señal	IV,2	face por curso de tiempo señal,
señales	XIX,2	e si de la vejez todas señales
señor	XXXIV,12	que ruegues al señor omnipotente
"	XXXVIII,9	Pues me traíste, Señor, donde yo vea
señora	VI,6	fuiste señora de mi libertad,
"	XVIII,3	que vos temedes, señora excelente,
señores	XXVI,13	Enxemplo sean a tantos señores
"	XXVIII,14	nin piense alguno servir dos señores.
"	XXX,11	a quien se humillan los grandes señores,
señoría	IV,13	de amor, que priva toda señoría,
"	VI,3	so cuya mano, mando e señoría
señorío	XXXVI,3	en cuyo pomo iba el señorío
sepultura	XXI,4	temiendo el manto de la sepultura;
ser	V,8	te faz ser vista fiel enamorada.
"	X,3	cuido ser uno de los que en Tabor
"	XI,11	e yo conozco ser bueno apartar.
"	XI,14	ser cualque alivio de la tal ferida.
"	XVI,3	nin puede ser, nin será fasta cuando
"	XVI,9	Bien merecedes vos ser mucho amada;

solares	XXXVII,4	solares miras fixo, non vagando:
solas	XXXII,2	sois solas ciudades ciertamente,
solemnizaban	II,3	cuando solemnizaban a Heretina
sólo	I,6	ca sólo de loar es la pureza;
"	XII,13	sólo Guadalquivir tiene poder
"	XII,14	de me guarir e sólo aquél deseo.
son	XII,9	Nin son bastantes a satisfacer
"	XIV,7	jamás alternan nin son punto ajenas,
"	XVIII,7	son loarvos e amarvos solamente,
"	XIX,8	vuestro soy todo e míos son mis males.
"	XXI,5	¿Son, si pensades, menores contrarios
"	XXI,13	los mis langores, tantos son e tales!
"	XXV,11	son de las tus regiones e partidas.
"	XXV,13	prudencia e fortaleza?¿Son presentes?
"	XXV,14	por cierto non: que lexos son fúidas.
"	XXXII,14	Hispán e Julio son vuestros patrones.
sones	XX,4	con agros sones e fieras canciones
soy (so)	VI,5	Yo soy tu prisionero, e sin porfía
"	VI,12	nin punto fuelgo, nin soy en reposo,
"	VI,14	siento que muero, e non soy quexoso.
"	X,1	Cuando yo soy delante aquella dona,
"	XIII,4	soy e posee la mi voluntad:
"	XVI,6	vos me prendistes, e soy vuestra prea:
"	XIX,8	vuestro soy todo e míos son mis males.
"	XIX,12	desque vos amo; e si soy amado,
"	XXXIII,5	si de fablar de ti yo non soy digno,
"	XXXIII,7	indocto soy e laso peregrino;
su	I,5	me demostraron, e su fermosura,
"	I,8	e plango e quéxome de su crüeza.
"	VII,7	e su perfecta belleza mostraba,
"	IX,6	non fue por su belleza Virgínea,
"	X,6	según su aspecto e grande resplandor:
"	X,8	de mirar fixo su deal persona.
"	X,9	El su fablar grato dulce, amoroso,
"	X,13	honesto e manso, e su continente,
"	XI,6	aquella flama, nin la su furor,
"	XIII,8	e presentadme a la su beldad:
"	XIII,12	E si muriere, muera por su amor:
"	XIX,10	habría ya su curso tardinoso,
"	XIX,11	o las dos partes de la su jornada
"	XXVII,11	e noto el modo de su narración,
"	XXXIX,14	muy gloriosa fue su vida al mundo.
suenan	XXVIII,8	non suenan trompas, nin nos desafía.
suerte	XIII,11	e si viniere, venga toda suerte.
"	XXIII,13	ca en vuestra espada es la buena suerte
sufrencia	XVII,10	do non se viesen paces o sufrencia?
sufrides	XXIII,12	pensad las causas por que las sufrides;
superna	XL,1	De la superna corte curíal,
sus	III,5	de sus combates, con tanta porfía
"	VIII,7	a aquélla a quien sus crüeles prisiones
"	VIII,12	e sus langores non han resistencia?
"	XX,8	e reposaba los sus corazones:
"	XXII,3	nuestro Maestro; mas sus corazones
"	XXIV,5	Sean sus actos non punto civiles,
"	XXXVII,3	e los sus rayos con viso aquilino
"	XXXVII,12	Nin las sus ricas mitras conmovieron
suspenso	III,4	nin el ánimo mío está suspenso

suspiros	VIII,2	tristes suspiros, la pesada lengua:
sutil	XV,5	Pues si el ingenio humano es más sutil
suya	VIII,3	mío es el daño e suya la mengua
"	XXXIII,12	sin gracia suya, fablar, nin sabía?
suyo	X,12	el andar suyo es con tal reposo,
"	XXXVII,7	el orden suyo, ganaste el divino
"	XXXVIII,14	a quien me mata, aunque suyo so.
Tabor	X,3	cuido ser uno de los que en Tabor
Tajo	XII,11	Tajo al presente, nin me socorrer
tal	III,13	que resistir pudiesen tal presión;
"	VI,8	nin me despliega tal cautividad.
"	VII,12	tal como perla e claro rubí,
"	X,12	el andar suyo es con tal reposo,
"	XI,14	ser cualque alivio de la tal ferida.
"	XIV,14	tal es la llaga del dardo amoroso.
"	XVIII,11	que los leales: e si tal, sacadme
"	XX,7	e dulce carmen de aquel tal meneo,
"	XXVIII,3	la hora, el punto! Sea tal engaño
"	XLI,14	si tal ventura ya non es cansada.
tales	XXI,13	los mis langores, tantos son e tales!
"	XXIX,2	ínclito rey, tales obras faced
tamaña	XXXII,7	vuestra gran fama aún non ser tamaña,
tambien	XXVI,8	será victoria a Enoc, también a Elías.
tan	VII,4	nin gema de estupaza tan fulgente.
"	IX,5	de la famosa rueda tan cercana
"	XVII,9	¿Fue visto bello, oh lide tan mortal,
"	XVIII,12	de tan gran pena, e sentid mi mal:
"	XXVI,7	e durará tan lexos fasta cuando
"	XXX,6	vuestra eminencia e nombre tan famoso,
"	XXXI,7	de vuestra tan bien fecha libertad,
"	XXXI,12	E non vos canse tan viril jornada;
"	XXXIII,10	Jacobo e Pedro tan gran Teología,
tanta	I,4	el punto e hora que tanta belleza
"	I,9	Ca non fue tanta la del mal Tereo,
"	III,5	de sus combates, con tanta porfía
"	V,9	E non te pienses que tanta belleza
"	XX,11	Cuando yo veo tanta fermosura.
tantas	XXIII,11	e tantas menguas sean vos delante:
tanto	III,12	nin Hércules se falla tanto digno
"	XVII,11	¿Nin adversario tanto capital,
"	XLI,5	¡Oh dulce hermano! Pues que tanto amiga
"	XLI,9	¡Oh real casa, tanto perseguida
"	XLI,12	fue contra Tebas, nin tanto indignada.
tantos	XXI,13	los mis langores, tantos son e tales!
"	XXVI,13	Enxemplo sean a tantos señores
tardanza	XXIII,4	al victorioso nuce la tardanza.
"	XXXI,13	mas conseguidla, tolliendo tardanza
tardinoso	XIX,10	habría ya su curso tardinoso,
társica	VII,13	e vuestra vista társica e benigna,
te	V,8	te faz ser vista fiel enamorada.
"	V,9	E non te pienses que tanta belleza
"	VI,7	E non te pienses fuya tu valía
"	XXXIII,8	pero mi lengua loar te desea.
"	XXXIV,9	Por todos estos premios te honoramos
"	XXXIV,11	e bien por ellos mesmos te rogamos
"	XXXV,12	e te cuenta del cuento dominante
"	XXXVII,14	por mí te ruego ruegues, Bernaldino.

"	XL,5	gracias te fago, mi guarda especial,
"	XL,9	e así te ruego, ángel, hayas cura
"	XL,11	ella con diligencia te apresura,
"	XLI,6	jamás te fui, como podré celar
"	XLI,7	de te llorar, plañir e lamentar
"	XLII,6	te seguiría, si fuese otorgada
"	XLII,13	e conseguirte, dulce mía Idea,
Tebas	XLI,12	fue contra Tebas, nin tanto indignada.
tela	XXVIII,7	corta la tela del humanal paño:
"	XLII,8	cortar la tela por Cloto filada.
tema	V,14	e non se tema de imagen benigna.
teme	XVIII,2	teme la encantación de los egipcios
temed	XXIX,4	amad la fama e aquélla temed.
temederos	XXIV,4	bravos, audaces, duros, temederos.
temedes	VIII,13	¿De qué temedes? Ca yo non entiendo
"	XVIII,3	que vos temedes, señora excelente,
temerosa	XXIII,2	la temerosa gente pompeana:
temiendo	XXI,4	temiendo el manto de la sepultura;
temor	V,7	pues osa, mano mía, e sin temor
"	XIII,9	Non vos impida duda nin temor
templanza	XXV,12	¿Do es justicia, templanza, igualdad,
templo	VI,2	segunda Helena, templo de beldad,
"	IX,9	Templo eminente, donde la cordura
"	XXXIII,1	Virginal templo do el verbo divino
"	XLII,1	Non solamente al templo divino,
templos	II,2	en los honrados templos de Laurencia,
temporal	XIV,4	cantan, e atienden al buen temporal;
Teología	XXXIII,10	Jacobo e Pedro tan gran Teología,
tercio	XXXIX,2	caridad, e así vos, tercio Calixto,
Tereo	I,9	Ca non fue tanta la del mal Tereo,
terrena	XI,5	Cierto bien siento que non fue terrena
tí	I,11	falsos ministros de ti, Tolomeo.
"	IV,10	que a tí non place del mi perdimiento;
"	XXV,1	Oy, ¿qué diré de tí, triste Hemisferio,
"	XXXIII,5	si de fablar de ti yo non soy digno,
"	XXXV,11	así non yerra quien de ti se ampara
tiempo	IV,2	face por curso de tiempo señal,
"	XIV,1	En el próspero tiempo las sirenas
"	XXVII,1	El tiempo es vuestro, e si de él usades
"	XLII,10	en edad tierna, e tiempo triunfante;
tiempos	XXXVIII,6	en la cual grandes tiempos ha que ardía,
tiene	XII,13	sólo Guadalquivir tiene poder
"	XIV,10	las tiene, como piedra la figura,
"	XXVII,7	sentir la mina, que pro tiene o presta,
tierna	XLII,10	en edad tierna, e tiempo triunfante;
tierra	XVII,1	Alégrome de ver aquella tierra
"	XXVII,6	la tierra es muelle e la entrada presta:
tierras	XXXVI,4	de cielos, tierras, arenas e mar:
timbre	IX,1	Timbre de amor, con el cual combate,
Timoteo	XX,1	Cuéntase que esforzaba Timoteo
tisera	XXI,8	que la tisera de Atropos oscura?
toda	II,4	las gentes de ella, con toda fervencia;
"	IV,13	de amor, que priva toda señoría,
"	IX,2	cautiva e prende toda gente humana;
"	XIII,11	e si viniere, venga toda suerte.
"	XV,14	e mando universal en toda gente.
"	XXVIII,4	lexos de nos e fuiga toda vía.

todas	XIII,7	con todas fuerzas e curso radío
"	XIX,2	e si de la vejez todas señales
"	XXV,3	ir todas cosas ultra el recto modo,
"	XXIX,12	en todas cosas ser lo más del fecho:
"	XXXIV,14	la gloria, a todas glorias precedente.
todo	XIX,8	vuestro soy todo e míos son mis males.
"	XXV,2	oh patria mía, ca veo del todo
"	XXXIII,3	a quien anhela todo amor benigno,
"	XXXVI,2	que todo el mundo non pudo ayuvar,
"	XXXVIII,12	e las mis fuerzas del todo sobró;
todos	XVIII,8	pospuesta cura de todos oficios.
"	XXIV,8	abominables a todos guerreros.
"	XXVI,5	el pastor, cuyo carmen todos días
"	XXIX,6	oíd a todos, librad e proveed:
"	XXXIV,9	Por todos estos premios te honoramos
tolliendo	XXXI,13	mas conseguidla, tolliendo tardanza
Tolomeo	I,11	falsos ministros de ti, Tolomeo.
tornados	XXV,8	e tus loores tornados hacerio.
torno	III,2	me veo en torno, e con poder inmenso,
"	XIII,2	que baña en torno la noble ciudad,
torno	I,7	mas luego torno con igual tristura,
tornó	XXV,5	¡Tu gloria e laude tornó vituperio
trabajos	XIV,6	cuitas, trabajos e langor mortal
traen	XV,1	Traen los cazadores al marfil
traíste	XXXVIII,9	Pues me traíste, Señor, donde yo vea
tranquila	XXXVIII,7	en mansa calma, tranquila e serena,
trasmuda	IV,4	trasmuda e troca del geno humanal.
tres	XXVI,2	oon los tres nombres juntos con el nombre
triste	III,7	Pues, ¿qué farás, oh triste vida mía,
"	XVII,7	mi triste vida, porque la mi guerra
"	XIX,14	de mi triste yacija congoxada.
"	XXV,1	Oy, ¿qué diré de ti, triste Hemisferio,
"	XLII,11	mas la mi triste vida, que desea
tristes	VIII,2	tristes suspiros, la pesada lengua:
tristeza	XII,2	pobre de gozo e rico de tristeza,
tristura	I,7	mas luego torno con igual tristura,
triunfando	XXXVII,8	lugar eterno, do vives triunfando.
triunfante	XXIII,14	e los honores del carro triunfante.
"	XXXV,9	Tú, virgen, triunfas del triunfo, triunfante
"	XLII,10	en edad tierna, e tiempo triunfante;
triunfas	XXXV,9	Tú, virgen, triunfas del triunfo, triunfante
triunfo	XXXV,9	Tú, virgen, triunfas del triunfo, triunfante
troca	IV,4	trasmuda e troca del geno humanal.
trocando	XVI,1	Si el pelo por ventura voy trocando,
trompas	XXVIII,8	non suenan trompas, nin nos desafía.
tu (a.)	VI,5	Yo soy tu prisionero, e sin porfía
"	VI,7	E non te pienses fuya tu valía
"	IX,13	válgame ya, deesa, tu mesura
"	XXV,5	¡Tu gloria e laude tornó vituperio
"	XXV,6	e la tu clara fama en esoureza!
"	XXV,7	Por cierto, España, muerta es tu nobleza,
"	XXXIII,6	la gracia del tu fijo me provea:
"	XXXVI,7	en el tu cuello le pasaste el río,
"	XXXVII,10	el fuerte muro de tu santidad:
"	XXXVII,13	las tus inopias, nin tu pobredad:
"	XLII,3	según tu santo ánimo e benigno,
"	XLII,9	Non lloren la tu muerte, maguer sea

tú (p.)	XXXIV,7	tú debelaste al crüel dragón
"	XXXV,9	Tú, virgen, triunfas del triunfo, triunfan
"	XXXVIII,1	Si ánima alguna tú sacas de pena
"	XXXVIII,5	Tú convertiste la flama egehena,
tura	IV,6	atarde tura el bien, nin face el mal;
turbaron	XXII,4	non se turbaron punto más que yo,
tus	XXV,8	e tus loores tornados hacerio.
"	XXV,11	son de las tus regiones e partidas.
"	XXXIII,14	tus alabanzas en la lengua mía.
"	XXXVI,12	faz, por tus ruegos, por el espantable
"	XXXVII,13	las tus inopias, nin tu pobredad:
Ulixes	XXVII,12	e veo a Ulixes, varón fraudulento:
ultra	XXV,3	ir todas cosas ultra el recto modo,
un	VII,5	Eran ligados de un verdor placiente
una (a.)	X,10	es una maravilla ciertamente,
una (p.)	XXXV,4	entre las veudas una e soberana:
universal	XV,14	e mando universal en toda gente.
"	XL,7	de las insidias del universal
universo	XXXI,5	Por cierto al universo la manera
uno	X,3	cuido ser uno de los que en Tabor
"	XXXVIII,3	pescador santo, uno de la cena
Urbino	XXXVII,11	sábenlo Siena, Ferrara e Urbino.
usades	XXVII,1	El tiempo es vuestro, e si de él usades
va	VIII,11	la cual me gasta e vame dirruyendo,
vagando	XXXVII,4	solares miras fixo, non vagando:
valedes	XXII,14	si me valedes con vuestro socós.
valga	IX,13	válgame ya, deesa, tu mesura
valia	VI,7	E non te pienses fuya tu valía
valiente	XXIV,12	o si Metelo se mostró valiente:
vana	XXXII,6	vana apariencia, mas juzgo patente
varios	XXI,3	por luengas vías e caminos varios,
varón	XXVII,12	e veo a Ulixes, varón fraudulento:
varones	XX,2	a los extrenuos e magnos varones,
"	XXII,1	Divinativos fueron los varones
vaya	V,13	pues vaya lexos inútil pereza
vea	XVI,8	cuando vos veo o que non vos vea.
"	XXXVIII,9	Pues me traíste, Señor, donde yo vea
veces	XXIII,3	el cometiente las más veces gana;
vejez	XIX,2	e si de la vejez todas señales
velades	XXVII,5	los picos andan, pues si non velades,
veloce	XIII,6	es la mi barca veloce, cuitad
venció	XXXI,1	Venció Aníbal el conflicto de Canas
venerable	XXXII,9	En vos concurre venerable clero,
veneramos	XXXIV,10	e veneramos, príncipe excelente;
veneréos	XXI,6	los veneréos fuegos sin mesura,
venga	XIII,11	e si viniere, venga toda suerte.
venida	XXII,12	e consoladme con vuestra venida:
ventura	I,3	formaron, loo mi buena ventura,
"	IV,3	e la rueda rodante la ventura
"	IV,9	Por ventura dirás, ídola mía,
"	VIII,5	Por ventura será que habré reposo
"	XVI,1	Si el pelo por ventura voy trocando,
"	XXVI,11	¿sentides, por ventura los clamores
"	XXXIII,9	¿Fablaron por ventura Juan e Juan,
"	XLI,14	si tal ventura ya non es cansada.
veo	I,1	Cuando yo veo la gentil criatura
"	I,13	e la mi loca fiebre, pues que veo

B. CONCORDANCIA DE LAS VARIANTES

aceptada XLII,2
adivinativos XXII,1
albitrio VI,3
alferes XXIII,6
alférez XXIII,6
amenazas XXIV,2
amigos XXIV,1
antigos XXIV,1
árbitro VI,4
así V,10
" XLII,9
" XXIV,9
aygua IV,1
bética XXXII,4
Bétis XII,13
buen XXIII,13
buhores XXV,8
cabto XXV,2
callando VIII,9
calor X,4
canticha XXVII,14
cascuno XXIII,1
casi XXX,14
caso XXXIII,7
catmo (?) XXIII,1
cogno (?) XI,11
como XI,5
" XLII,9
contares VIII,6
cortó XXVIII,7
cuan XXXII,8
cuanto XX,11
cuentan XX,1
cuyda XII,6
cuyo VI,3
" X,3
daños XXXIX,11
demostraba VII,7
derero (?) IX,3
derrero (?) IX,3
derruye V,6
deruye VI,9
destruye VI,13
destruyendo VIII,11
devesa IX,13
di XXV,1
discípulo XXXIX,3
diva II,8
do XII,10
dolor XI,2

donde XI,1
" XXXVIII,9
dura IV,6
emicante IX,9
emplantada V,4
emplantada V,4
enplectada V,4
enplentadas XIV,9
externuos XX,2
fablaron XXIV,11
fabló XXVII,3
face V,8
" XI,2
fallardes XVIII,10
falló III,12
fatigada XXX,7
favosa IX,5
femencia II,4
fermosa IX,4
feroce V,11
feroz V,11
fijos VII,2
filecc (?) XXXVI,1
flato VII,1
flebo (?) VII,1
fondas XIII,7
forciori XV,8
forgura IV,7
formosa XXXII,3
formosura XX,9
frol II,8
fue XLI,6
fuelga VI,12
fueras XLII,12
fuerte V,11
fues XLII,6
fueste VI,6
fustes XVI,13
" XVI,14
fuyga VI,7
genus IV,4
gran XXXVI,6
graves XXI,10
hane XXX,4
haye XXX,4
Homero IX,8
Huadalquivir XII,13
infante XLII,4
infirme XI,8
lacerio XXV,8

languiendo VIII,9
Laviana II,1
le XXXVI,6
leal XLII,12
lengua VIII,3
león XX,5
llore XLII,9
loor I,6
luciente VII,4
lumbre XXXV,1
mandado X,2
mando X,13
más XXIV,12
mello (?) XXIV,12
merecer XXIX,8
mostráos XXII,10
mueble XXVII,6
muestraron XXIV,4
muy I,3
nueva XLII,10
Omero IX,8
onde XXV,4
oyd XXV,1
parte XXI,11
pasiones VIII,7
penso XLI,11
perseveranza XXXI,10
piedra IV,1
piense XLI,11
poza VII,4
prendiste XVI,6
presiones VIII,7
primera XVII,4
prisión III,13
pues XVIII,8
puesta XVIII,8
quasi XXVII,4
quien XII,13
racontares VIII,8
razonaba X,4
recontares VIII,6
recuentaré VIII,6
repartades XXVII,8
reromate (?) IX,3
resplandeciente VII,4
sanar XII,14
señoría VI,3
ser XI,11
" XIV,8
sierras XXXVI,4

V

NOTAS Y TABLAS

BIBLIOGRAFIA

*

NOTAS GENERALES

1. El poeta aragonés Mossén Juan de Villalpando escribió algunos
por la misma época en que Santillana componía los suyos, usando,
no obstante, el verso de arte mayor y no el endecasílabo. Se nos
han conservado cuatro (el último incompleto) en el Cancionero de
Herberay des Essarts (cp. Ch. V. Aubrun, ed. [Bordeaux,
1951], pp. 164-65). Tanto A. Morel-Fatio (1894), p. 222, como
M. Menéndez Pelayo (1944), p. 229, creen que los sonetos de
Mossén Juan de Villalpando serían algo posteriores.

2. Ya anteriormente E. de Ochoa, en Rimas inéditas (París,
1844), dio a conocer 17 de los sonetos del Marqués a base de los
códices de la Bibliothèque Nationale de París (PA, PE, PH). Re-
coge las variantes de este editor J. Amador de los Ríos en su
edición crítica.

3. Véase para estas ediciones la bibliografía al final de la
presente obra.

4. Detallada descripción de estos códices en J. Amador de los
Ríos (1852), pp. CLVII-CLXIX. Véase también Homero Serís,
Manual de Bibliografía española, I (Syracuse, N. Y., 1948), p.
230

5. Este códice ofrece curiosas variantes de evidente influencia
catalana.

6. Sobre estos códices, véase A. Morel-Fatio, Catalogue des
manuscrits Espagnols et des manuscrits Portugais (París, 1892),
pp. 188-95.

7. Sin embargo, parece haber aprovechado solamente cinco de los
ocho que se hallan en el manuscrito.

8. Otra clasificacion temática en M. Pérez y Curis (1916), p.
213.

9. Cp. R. Lapesa, La obra literaria (1957), pp. 179-80.

10. Sin embargo, uno de ellos, el XXXV, dedicado a Beata Clara,
se encuentra asimismo en el Ms. AH, hecho que, por lo visto,
pasó desapercibido a Jules Piccus, quien habla solamente de siete
sonetos en este códice (véase Piccus [1960], pp. 21-23, nota 4).

11. Es de notar cierta similitud de resultados entre los sonetos
de este autor y los de Quevedo. Se impondría -cosa que no hemos
podido hacer aquí- un amplio estudio para determinar, desde el
punto de vista de la estilística cuantitativa, cuáles son las
diferencias sensibles entre ambos autores.

12. Sobre la estructura del soneto es ya clásica la obra de Juan Díaz Rengifo, Arte poética española (Salamanca, 1592), publicado más recientemente en Barcelona (1703).

13. Dentro de la vasta producción sonetista de Lope, con algo así como 1635 sonetos, el 67.27% ostentan la estructura ABBAABBA/CDCDCD; el 30.64% la forma ABBAABBA/CDECDE, con sólo un 0.66% para los restantes esquemas, de exclusiva variación en los tercetos.

14. Entre los 92 los sonetos de Boscán, tenemos: 29.34% CDCDCD, 27.17% CDCCDC, 21.73% CDEDCE, 20.65% CDECDE, 1.08% CDEDEC.

15. Solo Diego Hurtado de Mendoza (1503-1575) se esforzó en cultivar el soneto con los cuartetos cruzados o a base de ABBAACCA, con incluso un tipo ABABBCBC que no se halla representado en el Marqués. Esporádicamente poetas como Francisco de Rioja le siguieron en cuanto a la rima cruzada (cp. Jörder [1936], pp. 6-7).

16. Para el soneto en los poetas italianos, véase, en particular, L. Biadene, Morfologia del sonetto nei secoli XIII e XIV (Roma, 1889).

17. Lope sólo ostenta entre su gran cantidad de sonetos un 0.30% con esta estructura.

18. No cree A. Morel-Fatio (1894), p. 227, que el Marqués quisiera, con estas nuevas estructuras, hacer labor innovadora: "Je ne crois pas qu'il ait voulu innover; il a, à mon sens, simplement maintenu dans le sonnet italien l'ordre des rimes de deux formes de l'ancienne octave espagnole."

19. Para una división en sentido retórico, es decir, conceptual e interno, vease Gary J. Brown (1979), pp. 11-17.

20. Recordemos que los tratadistas consideraban esta posibilidad como una aberración: "Non si possono senza biasimo far cavalcar le sentenze da una stanza all'altra, nè da un quaternario o da un terzetto all'altro, ma rinchiuderle ne' suoi confini" (cp. Stefano Guazzo, en Giovanni della Casa. Opere, III [Milán, 1806], p. 168).

21. Observemos que García de Salcedo Coronel criticaba en Góngora este uso: "En este Soneto hallo un defecto... que haze infeliz esta composición... Pasa nuestro Poeta del primero terceto, al segundo, con la construcción de la sentencia, deuiendo terminarla en el último verso del primero" (cp. Obras de don Luis de Góngora Comentadas..., II [Madrid, 1644], p. 26).

22. Ya queda senalado que, por ejemplo, entre toda la producción sonetista de Boscán el arreglo binario CDCDCD sólo alcanza un 27.17%.

23. A propósito del endecasílabo en la obra del Marqués, véase, en particular, R. Lapesa, "El endecasílabo" (1957), pp. 180-85. Interesantes son, asimismo, las consideraciones de J. B.

Trend (1940), pp. 117-19.

24. Señala T. Navarro Tomás (1924), p. LV: "Un tercer tipo de endecasílabo, usado también por Garcilaso, aunque sólo en contados casos (pero, yo pregunto, cuántos?), es el que lleva tiempo débil en séptimo, con primer marcado en cuarta" (véase también P. Henríquez Ureña [1919], pp. 232-57).

25. Cp. M. Pérez y Curis (1916), pp. 179-81.

26. En la mayoría, por consiguiente, de los casos, los endecasílabos del Marqués comportan una fuerte cesura tras la 4a. sílaba, al igual que los decasílabos de la poesía catalano-provenzal. Es más, en algunos de los códices, y en particular en PE y PH, el escriba ha marcado claramente la cesura, dejando adrede un amplio espacio en blanco.

27. Señala A. Vegué y Goldoni (1911), p. 35, a propósito de los versos oxítonos o masculinos en el Marqués: "¿A qué se debe este fenómeno, por demás original? Puesto que en la métrica italiana, y taxativamente dentro del campo del soneto, no hay nada que se le asemeje, acaso a una influencia del endecasílabo catalán, que, sobre estar acentuado en la cuarta, lleva rimas agudas?"

28. Entre los 1635 sonetos conservados de Lope, sólo 23 de ellos contienen una rima aguda (cp. Otto Jörder [1936], p. 97). La proporción en todos los sonetos de Boscán es mínima: 1.42%, siendo aún menor en Garcilaso de la Vega: 0.75% (sólo en un soneto imitado de Ausias March).

29. Recordemos lo que señalaba F. de Herrera en sus anotaciones a la obra de Garcilaso: "Los versos... que llama el Toscano y nosotros agudos, no se deben usar en soneto ni en canción" (cp. Obras de Garcilaso de la Vega con anotaciones de Fernando de Herrera [Sevilla, 1580], p. 232).

30. Cp. Gary J. Brown (1979), pp. 37-38.

31. Hemos dado muchas vueltas al problema de cómo presentar en un estudio como el presente los textos. Para el cómputo y en particular las concordancias y demás listas se impone cierta uniformidad y entre adoptar un problemático sistema totalmente medieval (véase, por ejemplo, el interesante intento de M. Criado de Val a propósito de La Celestina [Madrid, 1977]) y uno de más moderno que facilite la comparación global y no obstaculice la lectura, nos hemos inclinado por este último.

32. Como ya se ha señalado (10.5), sólo presentamos las variantes de sentido y no las meramente ortográficas. Además, entre las primeras anotamos exclusivamente las que se registran en los manuscritos y no las de los autores que nos han precedido.

33. Cuando hay dos epígrafes, el primero procede de los códices M o R. En cuanto al segundo, véase 1.3. Pero no sólo se halla este último en I, sino también en PA, PE y PH, códices todos ellos emparentados.

*

NOTAS A LOS TEXTOS

Son. I.- Recuerda a Petrarca, no sólo en el contenido sino también en la forma: "Quando'io veggio dal ciel scender l'Aurora"
(Son. 23) y, en particular, "I'benedico il loco e'l tempo e
l'ora / che si alto miraron gli occhi miei" (Son. 10) (cp. Vegué [1911], pp. 40-41). La acumulación de citas clásicas, aunque muy propio de los prerrenacentistas españoles, también era
corriente en aquel poeta. Tereo (v. 9) fue el rey de Tracia que
sedujo a Filomela, hermana de su esposa Procne. Aquila (v. 10)
alude a la Farsalia de Lucano, en donde se cuenta como César y
sus tropas se vieron asediadas en Egipto por los ejércitos de
Aquilas y de Fotino, con la cooperación del rey de Egipto, Tolomeo, es decir, Tolomeo XIII, Filopator (54-57 d. C.). La relación entre el amor y la guerra, patente a lo largo de toda la
obra sonetista del Marqués, es bien visible aquí por todas estas
alusiones clásicas. Abundan en esta composición, además, las
construcciones bimembres con e.

Son. II.- Soneto dedicado a su dama, a la que vio y le recordó
por su belleza la vez primera que la conoció. Cual... Lavina:
"lo mismo que, es decir, en la misma forma en que se mostraba la
gentil Lavinia." Era ésta hija de Latino, según la Eneida y se
casó con Eneas. En cuanto a Laurencia (v. 2), se refiere a
Laurente, lat. Laurentum, ciudad del Lacio que figura igualmente
en aquella obra. Es posible que Heretina (v. 3) esté por Are-
tusa, hija del Océano, que formaba parte del cortejo de Diana y
que fue convertida en río. Clavellina (v. 5) es una variedad
bien conocida del clavel común. Deal (v. 8) está relacionado
con Dios (véase la variante diva en XL,3) y no con idea. En el
v. 9, Vegué prefiere una lectura: "cuando la llaga, oh mortal
ferida!" Hay que notar la paranomasia llaga... llagó (vv.
9-10). Obsérvense, además, las nociones antitéticas de los vv.
11-14. Finalmente, algunos críticos han loado los versos 1-2 de
este soneto.

Son. III.- El poeta intenta expresar lo indefenso que se halla
ante los ataques ("con gran artillería") del Amor. Siguiendo una
nota destacada en él, insiste aquí en la equiparación entre el
amor y la guerra (artillería, combates, defensar) (véase el Setge
d'Amor de Jordi de Sant Jordi). Apunta que ni Sansón con su
fuerza, ni David con su amor divino, ni Salomón con su proverbial
sabiduría, podrían resistir en tales circunstancias a los embates
del amor (vv. 9-11). Interesante es la combinación de elementos
bíblicos y clásicos, ya que el poeta nos indica que tampoco val-
dría para nada el gran poder de Hércules, el dios griego y romano. A destacar son las nociones antitéticas implicadas en los
versos 11-14. La restitución [la] (v. 11) viene determinada por
el metro.

Son. IV.- El poeta relata el poder del amor, al que, tanto él como su dama, están sujetos. Rueda rodante (v. 3) (obsérvese la paranomasia tautológica) se refiere a la rueda de la Fortuna. Geno (v. 3) es un neologismo (lat. genus; véase la variante de PA). Tura (v. 6) por dura es posible en la época y se halla bien documentado. El sentido es que ni el bien ni el mal perduran para siempre. En el verso 9 hay choque de acentos: dirás, ídola, que lo hacen muy poco feliz.

Son. V.- El poeta incita a su propia mano (es decir, pluma) a que descubra su amor a la dama, ya que no se atrevió él a comunicárselo personalmente. Ya se señala en el epígrafe al soneto que el mismo proceder siguió Fedra, la esposa de Tereo, enamorada de su hijastro Hipólito. Emprentada (v. 4) (en rigor también podría aceptarse la lección implantada de I y PH) estaría por "impresa," "estampada," documentada en la época (véase también XIV,9).

Son. VI.- Acepta el Marqués el rechazo de la amada y, aunque se siente morir ("muerte de amor"), no se queja por ello. Compara la hermosura de su dama con la de Helena de Troya, hija de Júpiter y paradigma de belleza. Aunque este soneto es una combinación de petrarquismo y de vieja escuela, es uno de los más logrados de nuestro poeta.

Son. VII.- Canta el Marqués la belleza de los cabellos de la amada. Los compara por su color con los rayos de Febo, o sea Apolo, es decir, el sol, y a los filos de oro que se decía proceder de Arabia. Ambas comparaciones son estereotipadas en el Renacimiento. Lo mismo podríamos decir en cuanto a la comparación con la "flama de Oriente" (v. 8). La estupaza (v. 4) es el topacio. Mayores problemas ha presentado el adjetivo társica, que acaso aluda a piedra preciosa del color del jacinto y que se suponía venir de la Tarsis bíblica (véase, en particular, Adam Rubalcava, Hablen cartas [México, 1971], pp. 8-12). Se trata de un soneto que, por su fluidez, es de los más logrados de nuestro autor; la repetición e... e en los versos 11-14 le imprime un gran balanceamiento.

Son. VIII.- El poeta increpa a su propia lengua porque no se atreve a proclamar su amor por la dama y por ello él sufre y padece. Acaba diciendo que "morir callando no es sabio." Aflato (v. 1) (lat. aflare) está por "soplo," "viento." Perno (v. 8) es una pieza de hierro larga y cilíndrica, con una cabeza redonda por un lado y, por el otro, con una trueca y que sirve para sujetar algo. Según Durán (1975), p. 313, es "voz técnica, extremadamente antipoética y moderna."

Son. IX.- Soneto amoroso con amplias resonancias petrarquistas y clásicas. La amada es una diosa y él, el poeta, le ruega que no sea demasiado rigurosa y dura en su juicio. No queda seguro que, en lugar de timbre (v. 1), no debamos aceptar temple (en el epígrafe tenbre, enmendado en timbre) y que Rea, mate (v. 3) (otras lecciones en las variantes, prefiriendo algunos autores: derrero mate) sea totalmente aceptable. En todo caso, Rea sería una de las Titánidas, esposa de Saturno, mientras que mate podría ser una alusión al jaque mate en el juego del ajedrez. En cuanto a Virginéa (v. 6) (obsérvese la transposición del acento para rimar con Penea), se trataría de Virginia, hija de L. Verginius, centurión, mujer muy famosa por su belleza. Dido (v. 7) es la conocida reina fundadora de Cartago. Más oscura es la alusión a Damne Penea (v. 7), quizás, siguiendo las Metamorfosis de Ovidio, por Dafne Penea, es decir, Dafne, hija de Peneo, amada por Febo en la mitología griega (cp. Durán [1975], p. 314).

Son. X.- Soneto representativo de la hipérbole sagrada, muy propia del siglo XV, que no rehusaba las equiparaciones entre el amor cortés y la religión. Como ya señala el epígrafe, parangona el poeta la luminosidad que envuelve a la amada con el resplandor de Jesús en el monte Tabor, en el momento de la Transfiguración. Compara, además, la belleza de la amada con la de la hija de Latona, es decir, Diana. (v. 5). Deal (v. 8) sería un neologismo por "diosa" (lat. Dea). La restitución grand[e] (v. 6), se impone por razones métricas. Finalmente, conviene observar el uso de ciertamente para rellenar el verso, como en XXIV,10 y XXXII,2 (nótese, por otra parte, la frecuencia en el vocabulario de cierto).

Son. XI.- En este soneto el poeta recomienda paciencia a un amigo suyo, el conde de Benavente, don Alvaro [de Pimentel], que, según uno de los epígrafes, padecía de mal de amores. Como en otras varias ocasiones, el Marqués alude al amor en términos religiosos. En el primer verso, "amor, deúdo e voluntad buena" se refieren a la amistad y afición que sentía por su amigo. Obsérvese la paranomasia doler... dolor (v. 2), así como el juego de palabras pena... pena (v. 3). En el verso 4 restituimos [a]tormenta. Finalmente, es latinizante la construcción: "así diría, sirviendo, esperar / ser cualque alivio..." (vv. 13-14).

Son. XII.- En este soneto el Marqués expresa su desespero amoroso por una dama que seguramente vivía en Sevilla, a orillas del Guadalquivir. Este soneto, alabado por Herrera, es un buen ejemplo de Canción de oppósitos, aludida en la Carta Prohemio en relación con otra similar de Jordi de Sant Jordi. J. Seronde ha hecho resaltar, además, el parecido entre este soneto y una balada y el Lay mortel de Machaut (cp. Romanic Rev., 6 [1915], 60). Señala Trend [1940], p. 119, igualmente que este soneto representa la influencia catalana y francesa en el Marqués. La enferma Guadiana (v. 12) podría ser una alusión al curioso curso de este río que, a veces, soterrándose, desaparece. Recordemos que Petrarca tiene un soneto (Son. 98) en el que nombra igualmente a varios ríos, con encomio de uno en particular, y que justamente nuestro poeta poseía un códice con la traducción de este soneto y su comentario (cp. M. Schiff, La Bibliothèque du Marquis de Santillane [París, 1905], pp. 275-76). Cabe finalmente destacar que los dos cuartetos tienen un balanceamiento rítmico muy bien logrado y ello a pesar de que en el verso 5 la sinalefa viene a coincidir con la cesura.

Son. XIII.- Este soneto está probablemente relacionado con el anterior, ya que el famoso río (v. 1) puede ser de nuevo el Guadalquivir. Pide el poeta que sus aguas le conduzcan hasta donde está la amada. Está dispuesto a morir por ella ("muerte de amor"), como murió Leandro por Hero en el Helesponto, según le-

yenda de constante mención paradigmática. Nótese el forzado hipérbaton del último verso.

Soneto XIV.- El poeta se ve morir de amor. Según Trend [1940],
p. 117, este soneto mostraría a un poeta que ostenta todavía
resonancias de la vieja escuela, aunque intenta ya aclimatar las
formas y el pensamiento de Petrarca. Obsérvense las paranomasias
cantilenas cantan (vv. 2-3) y cuerdo acuerda (v. 12). El término atiendo (v. 4), con un sentido de "esperar," podría ser un
galicismo. En sandío (v. 12) hay transposición del acento debido a la rima.

son XV.- El poeta, enamorado, señala que los que le critican lo
hacen porque no han conocido la hermosura de su dama. En el v.
1, marfil está por "elefante," como ya se atestigua a veces en la
Edad Media (cp. DCELC, s. v. marfil). Bulto (v. 3) en la
época podía significar "cara," "rostro" (lat. vultum). La expresión á fortiori (v. 8) (en el Ms. M: á forciori) no tiene
el sentido de "con mayor razón," sino de "a la fuerza." Se observará que no desdeña el Marqués el uso en su poesía castellana
de expresiones latinas tanto religiosas como profanas (véase
también XXXV,14). La influencia directa de Petrarca se podría
ver en el verso 11: "l'angelica figura e'l dolce riso / e l'aria
del bel viso" (Ballata 6).

Son. XVI.- El poeta, que se siente envejecer ("si el pelo por
ventura voy trocando," v. 1)), proclama que, preso de amor por
su dama, permanecerá fiel a ella hasta la muerte. Le pide paz
(sed el oliva, v. 13) y buena voluntad (sed el bien mío, v.
13). De nuevo, la alusión a la guerra es manifiesta. Obsérvese
en el Ms. M la forma fustes, que hemos preferido no admitir.
Nótese igualmente la pesadez del v. 8.

Son. XVII.- El poeta se alegra de recorrer de nuevo los lugares
en que, por vez primera, vio a su dama; pero luego se entristece
porque el amor le da guerra. Otra vez es de notar la ecuación
entre el amor y la guerra, particularmente en el v. 9, en donde
aparece el cultismo bello (lat. bellum) (véase en XXXIV,7:
debelaste). En este mismo verso preferimos la lectura oh lid[e]
tan mortal (lid[e] es requerido por el metro), que nos es dada
por los códices. Tanto Amador como Vegué optan por una frase
coordinada con o. Señala Durán [1975], p. 321, que sufrencia
(v. 10) podría estar por "tregua, tregua parcial, días de des-
canso sin batallar."

Son. XVIII.- El poeta se queja de que su dama no quiera escu-
charle. Le pide que le saque del mal que sufre o, en caso contrario, que acabe con él ("muerte de amor"), ya que peor es larga
guerra que simple batalla campal. La alusión a la serpiente y a
los egipcios estaría relacionada con el temor y, al mismo tiempo,
veneración que la serpiente les merecía a estos últimos. La
forma fallar[e]des (v. 10) está restituida a base de un
fallardes en ambos códices, justificándose por razones de metro.

Son. XIX.- El poeta le dice a su dama que, aunque viviere tanto
como Noé (en el Génesis se señala que Noé tenía 600 años cuando
empezó el Diluvio), no dejaría de amarla. En el verso 5 se

equipara de nuevo el amor y la religión. La alusión a la
saturnina pereza (v. 9), que había acabado ya los dos pasos de
su jornada, podría indicar que el Marqués amaba a su dama desde
hacía por lo menos 20 años (el planeta Saturno necesita casi 30
años para recorrer su órbita). Lapesa [1957], p. 198 n., fe-
charía este soneto hacia 1450-52. En el verso 1 es de notar la
paranomasia vida viviese (Amador enmienda en toviese). Las restituciones [ya] (v. 10) y [d]el (v. 13) se justifican, la primera por el metro y la segunda por el contexto.

Son. XX.- El poeta se lamenta de la prolongada dureza de su dama
y dice que el general ateniense Timoteo o Timotheo, muy activo en
las guerras de Atenas y de Tebas en el siglo IV a. C., sabía con
sus cantos alentar a sus soldados, pero también, cuando la ocasión lo requería, apaciguar los ánimos de ellos. En el verso 1
restituímos cuénta[se], restitución ya propuesta por Amador, por
razones de metro. Extrenuos (v. 2), "muy fuertes," es neologismo. Cierto aire popular y realista tiene meneo (v. 7).

Son. XXI.- El poeta se queja de mal de amores y trocando el
sentido de su propia divisa Dios e Vos, es decir, Dios y la Virgen, señala que sólo Dios y su dama amada pueden curarle. De
nuevo se produce la colisión de planos entre el amor y la religión. Mantenemos aquí la forma tisera (v. 8) (= tijera) por su
especial sabor arcaico. Modificamos, en cambio, Antropos (v.
8), según los códices, en Atropos, Parca que cortaba el hilo de
la vida humana con sus tijeras (véase también XLI,13). La alusión a Esculapio (v. 12), dios de la medicina, es obvia. La
restitución [si] en el verso 1 viene determinada por el metro,
habiendo sido ya propuesta por Amador. La acentuación aberrante
veneréos (v. 6) se impone por el ritmo. Finalmente, gros (v.
11) (= "grueso," es decir, "en conjunto") podría ser un término
mercantil de origen catalán.

Son. XXII.- El poeta pide a su dama que se muestre piadosa para
con él. Trae a colación el caso de Cristo, quien, a pesar de su
calvario y muerte, resucitó ante sus discípulos de Galilea. La
forma divinativos (v. 1) (en el Ms.: adivinativos), viene im-
puesta por el metro (cp. también Pérez y Curis [1916], p. 411),
tratándose probablemente de un neologismo a relacionar, según
requiere el contexto, con la idea de "perplejidad," "duda." El
término socós (v. 14) sería seguramente un catalanismo (cat.
socors).

Son. XXIII.- El poeta, en una especie de proclama guerrera,
arenga a los suyos a acometer a sus enemigos. Recurre para ello
a la alusión a Castino, personaje de la Farsalia de Lucano.
Participó aquél en la batalla de Tesalia contra Pompeyo, al sur
de Macedonia, lo cual explicaría la referencia a la batalla de
Emathia (Umacia) en el epígrafe. Se impone recordar aquí lo que
el poeta dijo a propósito de Timoteo en el soneto XX. Según Lapesa (1957), p. 191: "al leerlo imaginamos al poeta animando a
sus gentes antes de la batalla de Torote (1441), aquella lid de
la que volvió malherido a su villa de Guadalajara."

Son XXIV.- En este soneto el Marqués lamenta la situación de España y de que haya en ella algunos que hablan mucho y hacen poco.

No queda del todo claro que en el verso 5 tengamos que enmendar
la lección civiles, dada por todos los códices, en cerviles (?) o
serviles, como propugnan algunos. La alusión a los Escipiones
(v. 9) (por motivos de metro conservamos la forma antigua
Scipiones) es clara. En cuanto a Decios (v. 9), se trata de una
referencia a los Decios, padre e hijo, que murieron heroicamente
combatiendo contra los enemigos de Roma, el primero en el 300 a.
C. y el segundo en el 295. Finalmente, Metelo (v. 12) sería el
cónsul Quintus Caecilius Metellus Pius, que luchó en España y
murió, en plena gloria, en el 64 a. C. Cabe destacar también la
acumulación de adjetivos en los versos 3-4, que podrían consti-
tuir algo así como la descripción de las cualidades del caballero.

Son. XXV.- Lamentación por la tragedia de España, que recuerda
la Lamentación en prophecía de la segunda destruyción de España
de nuestro mismo poeta y, además, la canción VI de Petrarca de-
dicada a "Italia mia." El Marqués hace gala de su formación religiosa al mencionar retóricamente las tres virtudes teologales,
seguidas de las cuatro cardinales a las que, por cierto, añade
una quinta: igualdad. La lección oy (v. 1) parece estar por
oye y no por oíd, como han querido algunos. La expresión ultra
el recto modo (v. 3) tendría el sentido de "apartándose del
recto modo," es decir, "torcidamente"; además de latinismo,
ultra podría ser catalanismo. Latinismo sería, en todo caso,
laude (v. 5), "alabanza." En el verso 6 mantenemos la forma ar-
caica escureza por "oscuridad." Destacan en este soneto, en fin,
la serie de preguntas retóricas que le quitan fluidez, aunque el
verso final pone una rúbrica muy lograda a tantas preguntas.

Son. XXVI.- Soneto en el que el Marqués incita a los emperadores
y reyes de la Cristiandad a que salgan en ayuda de Constantinopla
o Bizancio, que había caído en manos de los turcos (1452). Para
alentarles, menciona algunos hechos prodigiosos del Antiguo Tes-
tamento (gestas de Sión, v. 14). En efecto, David, con la ayuda
de Dios, sentido este como la Trinidad cristiana (vv. 1-6),
venció a Goliat (Golías) y conquistó su fortaleza. De la misma
manera, de Enoc se dice en la Epístola a los Hebreos (11,5), que
fue arrebatado por Dios "para que no conociese la muerte." De
Elías, profeta de los tiempos de Ajab y Jezabel (siglo XI a.
C.), se creía que volvería a la tierra en los tiempos mesiánicos.
La restitución [también] (v. 8) se impondría por el metro. La
forma durará (no turará) está atestiguada en ambos códices. La
enmienda sea[n] (v. 13) viene condicionada por la concordancia
gramatical. Obsérvense, en fin, las paranomasias forzó la
fortaleza (v. 1) y nombres... nombre (v. 2).

Son. XXVII.- Soneto que recuerda, por el tono, los Proverbios
del mismo autor, sobre todo en el comienzo y en el final, en
donde el verso "ca chica cifra desface gran cuento," tiene aire
de refrán. Si bien se entiende, alienta el Marqués a sus parti-
darios a que se den prisa, ya que cuanto más tiempo transcurra,
más posibilidades hay de engaño y destrucción, acaso por parte de
los seguidores de Don Alvaro de Luna (el pico, es decir, una especie de azadón, no para y la mina, o sea, algo así como el tú-
nel, se hace para derribar y destruir [minar] el mas recio cas-
tillo [vv. 6-8]). Para ello trae a colación los prototipos de

Sinón (v. 9), que usó de una estratagema para destruir a Troya, y de Ulises (Ulixes) (v. 12), personificación de la astucia humana. Ruega que se oiga, en cambio, a Licaón (Laoconte) (v. 13), sacerdote de Apolo que clamó para que no se permitiera la entrada en Troya del caballo de madera y hasta se dice que disparó varias flechas contra él.

Son. XXVIII.- Soneto moral en que el Marqués amonesta a los hombres a bien vivir, ya que nadie conoce el día de su muerte. Las Parcas, que cortan la tela de la vida humana, es decir, la muerte, son comparadas a la bailesa (v. 6), o sea, la alcaldesa, de una bailía (v. 6), es decir, un ayuntamiento o alcaldía. El baile (cat. batlle) era un funcionario del rey, que, especialmente en Cataluña, Aragón y Valencia, ejercía funciones administrativas y judiciales. Para prepararse para la inesperada muerte, el hombre debe seguir a Dios, aludido en Jove (v. 13), padre de los dioses, y no a los impulsos de la naturaleza, personificada en Ceres (v. 13), mujer de extraordinaria belleza e infortunios. Obsérvese, en fin, la gradación descendente implicada en los versos 1-3.

Son. XXIX.- El poeta incita al rey Enrique IV, que seguramente acababa de subir al trono (1454), a que reine y se comporte bien, escuchando a todos. Le dice, en particular, que busque la fama y que, al mismo tiempo, la tema, ya que no siempre es ésta favorable ni positiva. Debe, además, agradar a las gentes "ca ninguno domina sin merced" (v. 8). En cuanto a bulto (v. 5), véase lo señalado en el son. XV.

Son. XXX.- El poeta se lamenta de que nadie cante las hazañas del rey de Aragón, Alfonso V, que él tanto admiraba. La pluma calla (v. 1), a pesar de que el rey ha hecho grandes empresas con su espada. Nos dice, a manera de comparación, que Calíope (no Calíope), la musa de la elocuencia y de la poesía épica, esposa de Apolo, ha enmudecido. En realidad, los emperadores deberían abandonar sus carros triunfantes a la virtud heroica, casi divina, del rey de Aragón, ante quien "la Italia soberbia se inclina" (v. 12). En el verso 6 restituimos [tan] por razones de metro. Muy poco logrado es el verso 4 con toda clase de licencias poéticas.

Son. XXXI.- Soneto dedicado a Juan II de Castilla, incitándole a que persevere. Para ello alude a las empresas de Aníbal (no Aníbal, según exige el ritmo) en Italia, con la victoria de Cannae (216 a. C.), con la que, de haber perseverado, hubiera podido entrar en Roma y conquistar toda Italia (recuerda a Petrarca: "Vinse Annibal e non seppe usar poi / ben la vittoriosa sua ventura...," Son. XI). La alusión a Astrea (v. 8) se refiere a la justicia y a la verdad, en tanto que ella era, en la mitología griega de la decadencia, la diosa de la justicia. Enmendamos al conflicto (v. 1) en el conflicto y onde (v. 8) en [d]onde y restituimos, por razones de cómputo métrico, [es] (v. 1). Asimismo opinamos que se impone pensar en una forma apocopada persevranza (v. 10), debido a la hipermetría del verso.

Son. XXXII.- Soneto en alabanza de Sevilla, la antigua Hispalis romana. Las alusiones al final a Hércules y a Hispán y Julio, vuestros patrones (vv. 13-14), podría ser debido a cierta tradición local que atribuiría la fundación de la ciudad al dios romano, por una parte, y, por la otra, conforme opina Durán (1975), p. 128: "bien pudiera tratarse de una alusión a un supuesto y mítico fundador de Hispania o de Hispalis que forma paralelo con Julio, otro nombre del hijo de Eneas, Ascanio, pareja que sería una especie de equivalente sevillano de la de Rómulo y Reno." En el verso 4 restituimos [la] Betica por razones de cómputo métrico. En el verso 13, fustas sería un conocido tipo de embarcación de madera.

Son. XXXIII.- Soneto en alabanza de la Virgen, con referencias a algunos de los apóstoles. La alusión a Juan e Juan (v. 9) se referiría posiblemente a San Juan Bautista y a San Juan Evangelista. Jacobo, es decir, Santiago, y Pedro serían también los conocidos apóstoles, mientras que el "asna de Balam" no sería una referencia a la novela espiritual Barlaam y Josafat, sino al profeta Balaam, cuya burra hablaba (cp. Núm. 23,22-39). Librea (v. 2) era el uniforme que los príncipes, señores y demás magnates daban a sus criados. Para el concepto de santa Idea e Idea, véase XLII.

Son. XXXIV.- Soneto en alabanza a San Miguel Arcángel, "gran capitán" y jefe de las huestes celestiales. En el verso 6, el verbo debelar (recordemos el bello de XVII,9), "combatir venciendo," es un neologismo. En el verso 11 restituimos, por razones de metro, [bien].

Son. XXXV.- Soneto en loor de Santa Clara de Asís (1194-1253), discípula de San Francisco y fundadora de la Orden de las Clarisas. Dice luna de Asís (v. 2) por comparación con San Francisco, al que considera como el sol ("del seráfico sol muy digna hermana," v. 8). Su madre, Hortulana u Ortolana, una vez viuda, siguió a su hija. Alamud (v. 7), es el pasador que servía para cerrar puertas y ventanas, es decir, en sentido alegórico, la protección contra el pecado, etc. Son de notar en este soneto las paronomasias cuenta del cuento (v. 12) y hora ora pro me (v. 14), que por haplología ha quedado reducido en los códices a la parte latina. El juego paronomásico es más acusado aún en el verso 9 con triunfas del triunfo, triunfante. Restituimos, por razones métricas, [e] (v. 2) y [de] (v. 6), además de [hora] (v. 14). Se observará, finalmente en este soneto poligloto (véase también el XV) el juego entre clara y Clara con que se abre y se cierra la composición.

Son. XXXVI.- Soneto en alabanza a San Cristóbal, es decir, Christophoros, "portador de Cristo," y que, según la tradición llevó al Niño Jesús en sus hombros para atravesar un río. De ahí la comparación con un leño (v. 1), o sea, una embarcación muy corriente en el Mediterráneo. El adjetivo felice (v. 1), aplicado al leño, tendría resonancias del otro leño o madero de la Cruz, en que murió Jesucristo. A San Cristóbal le pide el poeta que le ayude en el trance de la muerte a alcanzar la otra orilla, es decir, el cielo en nave segura (v. 13). En el verso 3, parece más lógica la restitución [t]ierra, en lugar de sierra, aunque esta lección tampoco puede descartarse del todo. Restituimos también [a]negar (v. 8). Obsérvese la paronomasia por el

espatable paso yo pase (vv. 12-13). Pomo (v. 3) significaría
aquí "cima," "parte cimera." En el verso 9, jayán está por "gi-
gante," ostentando cierto aire popular.

Son. XXXVII.- Soneto dedicado a San Bernardino de Siena
(1380-1444), posiblemente con motivo de su canonización en 1450.
Acusado de herejía ante Martín V, fue absuelto, ofreciéndole el
papa, la sede de Siena, que el rechazó ("ningunas dignidades corrompieron," v. 9), prefiriendo una vida más humilde (vv.
12-13). Sus actividades se desarrollaron, sobre todo, en las
ciudades italianas que el poeta menciona en el verso 11. Las
restituciones en los versos 1 y 6 ([oh] y [aquel] respectivamente) se justifican por razones de metro. Cabe destacar la paranomasia ruego ruegues (v. 14), así como el fuerte hipérbaton
"serás perfecto e discípulo digno" (v. 5).

Son. XXXVIII.- Soneto dedicado a San Andrés, uno de los doce
apóstoles (uno de la cena, v. 3), hermano de San Pedro. Era
pescador de oficio y de ahí pescador santo (v. 3). El poeta
parece agradecerle el hecho de que en el día de su festividad (30
de Nov.) hubiera podido ver a la dama que amaba, causa de sus
sufrimientos amorosos. Se trata, por consiguiente, de un soneto
en el que la esfera de lo sagrado se cruza con la del amor, en
una especie de unión muy del gusto de la época. Restituímos [a]
aquella (v. 10), por razones gramaticales. La forma egehena (v.
5) es un derivado culto de gehena, "infierno," del lat. gehenna,
que a su vez viene del hebreo ge(y)hinnōm. Finalmente, sobró (v.
12) significaría "superar" (lat. superare > sobrar).

Son. XXXIX.- En este soneto el poeta da gracias a Calixto III,
es decir, al español Alfonso de Borja, papa de 1455 a 1458, por
haber canonizado a San Vicente Ferrer (3 de Junio de 1455), y le
pide que santifique igualmente a fray Pedro de Villacreces, re-
formador de la Orden franciscana en Castilla (1346-1422). El
poeta le recuerda que la caridad bien ordenada (vv. 1-2) co-
mienza por uno mismo y que, por consiguiente, en tanto que español, debería canonizar a otro santo hombre de su propia patria
(recordemos que nuestro poeta había escrito ya la Canonización
de... maestro Vicente Ferrer... e maestre Pedro de Villacreces,
de imitación dantesca). Restituímos da[d]nos (v. 11), de
acuerdo con la gramática. El verso 2, con colisión de acentos
caridad, e así vos, tercio, resulta bastante inocuo.

Son. XL.- Soneto a manera de oración, y muestra, como dice Trend
(1940), p.117, de la piedad pretridentina. Se dirige al Angel de
la Guarda, pidiéndole que le ampare hasta el fin de sus días y le
procure la santidad de los justos. Superna (v. 1) es un neologismo (lat. supernus, "de arriba"). Curial (v. 1) tiene aquí
el sentido de "cortesano" (lat. curialis) y sería término culto.
Diva (v. 3) estaría por "diosa" (lat. diva) y se trataría de
uno de los primeros testimonios de este término erudito. La
restitución [la] (v. 8) vendría determinada por el cómputo métrico; lo mismo hay que decir en cuanto a e[lla] (v. 11). Las
formas fuste (vv. 4 y 8) proceden del único códice que contiene
este soneto.

Son. XLI.- Soneto que el Marqués dedicó a Doña María de Aragón, esposa de Juan II de Castilla, con motivo de la muerte de su hermano, el infante Pedro, hijo, como ella, de Fernando I de Antequera. La reina tiene que ocultar su duelo para no disgustar al Rey, su esposo, reñido con el Rey de Aragón. Se alude en este soneto, a manera de comparación, a una historia muy bien conocida en los romances, concerniente a Doña Urraca, Alfonso VI y Sancho de Castilla, y a la traición de Bellido Dolfos en el cerco de Zamora. Se alude igualmente a Juno (v. 11) (en la mitología griega Hera), casada con Júpiter, su propio hermano, y que, celosa de Europa y Antíope, asociadas ambas con la fundación de Tebas, quiso que fueran éstas perseguidas y castigadas. En cuanto a Atropos (v. 13) véase XXI,8. No queda del todo claro, en el verso 8, que seso deba ser enmendado en sexo, aunque el término aparece ya documentado a fines del siglo XV.

Son. XLII.- Soneto escrito con ocasión de la muerte de Doña Catalina, esposa del infante Enrique de Aragón, Duque de Villena. Falleció aquélla en 1439, fecha muy probable, por consiguiente, de composición de este soneto. Se alaba a la misma infanta en la Comedieta de Ponza. Nuestro autor habla por boca de Don Enrique, quien expresa que si pudiera la seguiría, aunque hubiera ido al infierno. Cloto (v. 8) es una de las Parcas y su nombre significa "hilandera" ("la tela por Cloto filada," v. 8) y simboliza el fatalismo en los acontecimientos humanos. En el verso 13 encontramos de nuevo (véase también XXXIII,4) la personificación de un concepto abstracto, acoplada con la idea platónica de la existencia real de los abstractos. Las restituciones [e] (v. 3) y [la] (v. 9) vienen determinadas por razones de metro. Preferimos una forma infant[a] (ya documentada en la época), aunque los códices nos dan infante.

TABLA I: ESQUEMAS ESTROFICAS

	Santi	Todos	Bosc	Garci	Herre	Ceti	Lope	Torre	Gong	Queve	Salaz
ABBAABBACDECDE	5% [2.38%	62.00%	30.00%	50.00%	90.00%	75.00%	75.00%	65.00%	50.00%	90.00%	90.00%
ABBAABBACDCD	–	16.00%	45.00%	20.00%	5.00%	20.00%	25.00%	–	25.00%	10.00%	10.00%
ABBAABBACDEDCE	–	6.5%	10.00%	20.00%	5.00%	5.00%	–	20.00%	5.00%	–	–
ABBAABBACDCCDC	–		15.00%	5.00%	–	–	–	–	5.00%	–	–
ABBAABBACDECED	–		–	–	–	–	–	10.00%	10.00%	–	–
ABBAABBACDCEDE	–		–	–	–	–	–	–	5.00%	–	–
ABBAABBACDEDEC	–		–	5.00%	–	–	–	–	–	–	–
ABBAABBACDEEDC	–		–	–	–	–	–	5.00%	–	–	–
ABBAACCADEDEDE	10% [11.90%		–	–	–	–	–	–	–	–	–
ABBAACCADEFDEF	– [4.76%		–	–	–	–	–	–	–	–	–
ABABABABCDECDE	25% [30.95%		–	–	–	–	–	–	–	–	–
ABABABABCDCDCD	55% [45.23%		–	–	–	–	–	–	–	–	–
ABABBCCBDEFDEF	– [2.38%		–	–	–	–	–	–	–	–	–
ABABBCCBDEDEDE	5% [2.38%		–	–	–	–	–	–	–	–	–

TABLA II: EL ENDECASILABO

A. ENDECASILABOS ACENTUADOS EN LA 4° SILABA

		Santi	Todos	Bosc	Garci	Herre	Ceti	Lope	Torre	Gong	Queve	Salaz
4 - X	77.44%	[80.32%	54.56%	52.40%	56.78%	55.00%	36.09%	62.14%	53.57%	59.64%	42.24%	50.35%
4 - 6	25.70%	[27.69%	32.78%	46.33%	49.21%	32.56%	27.88%	28.22%	25.00%	34.29%	25.46%	33.93%
4 - 7	28.16%	[30.76%		–	–	–	–	–	–	–	–	–
4 - 8	16.19%	[15.04%	18.22%	6.07%	8.57%	22.14%	8.21%	33.92%	28.57%	25.35%	16.78%	16.42%

B. RIMAS OXITONAS

		Santi	Todos	Bosc	Garci	Herre	Ceti	Lope	Torre	Gong	Queve	Salaz
	19.05%	[22.49%	3.11%	0.71%	1.42%	–	–	–	–	–	–	9.99%

TABLA III: NATURALEZA DEL VERBO

	Santi		Todos	Bosc	Garci	Herre	Ceti	Lope	Torre	Gong	Queve	Salaz
A. ESTICOMITIA	75.72%	[74.66%	83.86%	93.93%	88.58%	82.86%	85.36%	82.15%	78.93%	74.65%	88.93%	87.50%
B. ENCABALGAMIENTO	24.28%	[25.34%	16.13%	6.07%	11.42%	17.14%	14.64%	17.85%	21.07%	25.35%	11.07%	12.50%
C. REPARTO ENCABALGAMIENTO												
4	33.81%	[33.51%	29.96%	17.64%	25.00%	29.16%	17.07%	32.50%	30.50%	29.57%	38.70%	45.71%
4	32.34%	[32.20%	30.64%	23.52%	25.50%	31.25%	34.14%	30.00%	35.59%	30.98%	32.25%	31.42%
3	22.05%	[21.46%	21.60%	29.41%	28.12%	27.08%	26.82%	20.00%	15.25%	16.90%	16.12%	14.28%
3	11.78%	[12.74%	17.81%	29.41%	21.87%	12.50%	21.95%	18.00%	18.64%	22.53%	12.90%	8.57%
D. ENCABALGAMIENTO Y ESTRUCTURA												
4/4	3	[3		0	0	1	0	0	0	0	0	0
4/3	0	[0		0	0	0	0	0	0	0	0	0
3/3	3	[7		0	0	0	0	0	0	2	0	0

TABLA IV: PARTES DE LA ORACION

		Santi	Todos	Bosc	Garci	Herre	Ceti	Lope	Torre	Gong	Queve	Salaz
SUSTANTIVO	21.43%	[19.76%	21.93%	19.02%	17.93%	22.76%	19.22%	24.73%	22.88%	25.65%	22.34%	23.37%
ADJETIVO	18.03%	[15.94%	17.73%	15.81%	15.99%	19.03%	16.22%	16.93%	22.16%	20.55%	16.89%	15.72%
VERBO	14.07%	[15.03%	15.42%	18.14%	16.66%	13.26%	18.15%	14.96%	13.37%	11.88%	18.02%	15.74%
(V. FINAL	28.12%	[27.56%	22.48%	23.83%	26.68%	24.15%	18.48%	13.82%	21.07%	27.36%	17.36%	23.98%)
ADVERBIO	7.19%	[8.96%	6.72%	10.06%	7.51%	7.07%	7.93%	5.78%	4.53%	6.54%	4.80%	5.86%
PRONOMBRE	9.15%	[10.15%	8.44%	9.80%	11.21%	6.74%	8.79%	7.96%	7.40%	6.62%	9.49%	7.32%
ARTICULO	7.39%	[8.25%	8.95%	7.50%	7.43%	9.53%	9.96%	9.39%	10.06%	9.71%	7.77%	10.77%
PREPOSICION	9.07%	[9.27%	11.55%	10.83%	12.18%	10.65%	11.49%	11.35%	11.88%	12.56%	11.90%	13.62%
CONJUNCION	11.15%	[10.17%	8.44%	8.69%	8.63%	8.53%	7.93%	8.65%	7.68%	7.86%	8.41%	6.89%

TABLA V: LARGURA DE LA FRASE
(por grupos de cinco)

	Sant	Bosc	Garc	Herr	Ceti	Lope	Torre	Gong	Queve	Salaz	Todos
MBRE	7	7	7	14	13	20	21	20	13	7	7
1/5	9	8	5	4	9	4	1	1	9	11	61
6/10	20	31	20	16	13	11	9	1	18	28	161
1/15	29	26	25	29	16	14	13	11	35	21	221
6/20	13	18	16	26	12	16	16	12	21	20	164
1/25	23	22	19	16	19	20	22	13	18	24	195
6/30	9	12	6	10	10	15	8	11	11	7	99
1/35	0	1	5	1	1	2	2	4	2	1	20
6/40	3	2	0	3	1	4	2	2	1[39]	1	16
1/45	1[41]	0	4	1	2	2	3	1	0	1	15
6/50	0	0	1	1	0	1	1	2	0	1[50]	7
1/55	0	1[51]	0	1[51]	1	1	2	1	0	0	10
6/60	0	0	3[57]	0	2	0	0	1	0	0	4
1/65	0	0	0	0	0	0	0	1	0	0	1
6/70	0	0	0	0	1	0	0	3	0	0	4
1/75	0	0	0	0	1	0	1[74]	0	0	0	2
6/80	0	0	0	0	1[80]	0	0	0	0	0	1
1/85	0	0	0	0	1	0	0	0	0	0	1
6/90	0	0	0	0	1	1	0	1[37]	0	0	1
1/22	0	0	0	0	0	1[122]	0	0	0	0	1

*

BIBLIOGRAFIA

Nos limitamos en esta bibliografía a las ediciones y estudios que se relacionan directa o indirectamente con los sonetos del Marqués.

Aguado, J. M., "Tratado de las diversas clases de versos castellanos y de sus más frecuentes combinaciones métricas y rímicas," Boletín de la Real Acad. Española, 10 (1923), 421-52, y 12 (1925), 94-116 y 246-57.

Amador de los Ríos, J., Obras de Don Iñigo López de Mendoza, marqués de Santillana (Madrid, 1852).

------, Vida del marqués de Santillana (Buenos Aires, 1947).

Aubrun, Ch.-V., "Alain Chartier et le marquis de Santillane," Bull. Hisp., 40 (1938), 129-49.

Azáceta, J. M., "Santillana y los reinos orientales," Rev. Lit., 5 (1954), 57-86.

Brown, Gary J., "Rethoric as Structure in the Siglo de Oro Love Sonnet," Hispanofila, 66 (1979), 9-39.

Delgado, Josefina, El Marqués de Santillana (Buenos Aires, 1968).

Durán, Manuel, "El Marqués de Santillana y el Prerenacimiento," Nueva Revista de Filología Hispánica, 15 (1961), 343-63.

------, Marqués de Santillana. Poesías Completas, I (Madrid, 1975).

Farinelli, A., Italia e Spagna, I (Roma, 1929).

Fort i Cogul, Eufemià, El marquès de Santillana i Catalunya (Barcelona, 1971).

Foulché-Delbosc, R., Cancionero Castellano del siglo XV, I (Madrid, 1912).

Frattoni, Oreste, Ensayo para una historia del soneto en Góngora (Buenos Aires, 1948).

Fucilla, Joseph G., "Notes on Spanish Renaissance Poetry," Philological Quarterly, 11 (1932), 225-62.

Gaos, V., "El Marqués de Santillana," en Temas y problemas de literatura española (Madrid, 1959).

Henríquez Ureña, P., "El endecasílabo castellano," Rev. Filol. Española, 6 (1919), 132-57.

Jörder, Otto, Die Formen des Sonetts bei Lope de Vega, Beihefte zur Zeitschrift für Rom. Philologie, 86 (1936).

Lapesa, Rafael, La obra literaria del Marqués de Santillana (Madrid, 1957).

------, "El endecasílabo en los sonetos de Santillana," Romance Philology, 10 (1957), 180-85.

Le Gentil, Pierre, La poésie lyrique espagnole et portugaise à la fin du Moyen-âge (París, 1953), I-II.

March, J. M., "La muerte de don Iñigo López de Mendoza," Est. Ecl., 14 (1935), 117-22.

Menéndez Pelayo, M., Antología de poetas líricos castellanos, n.ed., II (Santander, 1944), pp. 77-137.

Morel-Fatio, R., "L'Arte mayor et l'hendécasyllabe dans la poésie castillane du XVe siècle et du commencement du XVIe siècle," Romania, 23 (1894), 209-31.

Mönch, Walter, Das Sonett (Heidelberg, 1955).

Navarro Tomás, T., ed., Garcilaso. Obras (Madrid, 1924).

Ochoa, Eugenio de, Rimas inéditas de Don Iñigo López de Mendoza, marqués de Santillana... y de otros poetas del siglo XV (París, 1844).

Penna, Mario, "Notas sobre el endecasílabo en los sonetos del Marqués de Santillana," Estudios dedicados a Menéndez Pidal, 5 (Madrid, 1954), 253-82.

Pérez y Curis, M., El marqués de Santillana, Iñigo López de Mendoza (Montevideo, 1916).

Piccus, Jules, "Rimas inéditas del Marqués de Santillana, sacadas del Cancionero de Gallardo (o de San Román), Acad. de la Hist., sig. 2-7-2, Ms. 2," Hispanofila, 1 (1960), 20-31.

Reichenberger, Arnold, "The Marqués de Santillana and the Classical Tradition," Iberoromania, 1 (1969), 15-34.

Rodríguez-Puértolas, J., ed., López de Mendoza. Cancionero (Barcelona, 1968).

Rivers, E. L., "Hacia la sintaxis del soneto," Homenaje a Dámaso Alonso, III (Madrid, 1960), pp. 225-34.

------, "Certain Formal Characteristics of the Primitive Love

Sonnet," Speculum, 33 (1956), 42-55.

Seronde, J., "A study of the Relations of some Leading French Poets of the XIV and XV Centuries to the M. de S.," The Romanic Review, 6 (1915), 60-86.

------, "Dante and the French Influence on the M. de S.," Idem, 7 (1916), 194-210.

Trend, J. B., Prose and Verse: Marqués de Santillana (Londres, 1940).

Vegué y Goldoni, A., Los sonetos "al itálico modo" de don Iñigo López de Mendoza (Madrid, 1911).

Vanutelli, Evelina, "Il Marchese di Santillana e Francesco Petrarca," Rivista d'Italia, 15 (1924), 138-50.

William Foster, David, The Marqués de Santillana (New York, 1971).

*

INDICE DE MATERIAS